L'ÉNIGME DU CANAL

Catalogage avant publication de Bibliothèque et Archives nationales du Québec et Bibliothèque et Archives Canada

Chabin, Laurent, 1957-

L'Énigme du canal

(Collection Atout; 135)
Pour les jeunes de 10 ans et plus.

ISBN 978-2-89647-913-9

I. Titre. II. Collection: Atout; 135.

PS8555.H17T76 2011   jC843'.54   C2011-940149-5
PS9555.H17T76 2011

Les Éditions Hurtubise bénéficient du soutien financier
des institutions suivantes pour leurs activités d'édition:

– Conseil des Arts du Canada;
– Gouvernement du Canada par l'entremise du Fonds du livre du
  Canada (FLC);
– Société de développement des entreprises culturelles du Québec
  (SODEC);
– Gouvernement du Québec par l'entremise du programme de crédit
  d'impôt pour l'édition de livres.

Éditrice jeunesse: Sonia Fontaine
Conception graphique: Fig communication
Illustration de la couverture: Sampar
Mise en page: Martel en-tête
Illustration des rébus: Geneviève Dussault

Copyright © 2012, Éditions Hurtubise inc.

ISBN 978-2-89647-913-9 (version imprimée)
ISBN 978-2-89647-914-6 (version numérique PDF)

Dépôt légal: 2e trimestre 2012
Bibliothèque et Archives nationales du Québec
Bibliothèque et Archives Canada

Diffusion-distribution au Canada: Diffusion-distribution en Europe:
Distribution HMH   Librairie du Québec/DNM
1815, avenue De Lorimier   30, rue Gay-Lussac
Montréal (Québec) H2K 3W6   75005 Paris FRANCE
www.distributionhmh.com   www.librairieduquebec.fr

Imprimé au Canada
www.editionshurtubise.com

LAURENT CHABIN

L'ÉNIGME DU CANAL

LAURENT CHABIN

Après la France, l'Espagne et l'Ouest cana-
dien, Laurent Chabin a choisi de venir vivre
au Québec. Il réside actuellement à Montréal.

Auteur de plus de quatre-vingts romans,
tant pour les jeunes que pour les adultes, il
est aussi traducteur.

Lorsqu'il n'écrit pas, il donne dans les
écoles primaires et secondaires des ateliers
littéraires sur le roman policier, ses secrets et
ses techniques.

1

ÇA COMMENCE MAL...

— Qu'est-ce que c'est que ça?

Patricia se trouve à quelques mètres devant nous. Elle tend la main vers un des buissons d'épineux qui poussent près de la clôture. Je l'ai à peine entendue, à cause du vacarme produit par les corbeaux, mais il m'a semblé que sa voix tremblait.

Sébastien et moi jetons un coup d'œil dans la direction indiquée, mais je ne vois rien. Je fais la moue. J'ai horreur de ce genre de plantes qui t'arrachent la peau et te laissent des « craquias » sur les vêtements quand tu t'en approches de trop près.

Sébastien fait quelques pas, intrigué. Je le suis sans conviction, mains dans les poches.

Oui, maintenant, j'aperçois ce qui me semble être un bout de bois qui dépasse sous le feuillage serré. Sébastien a rejoint Patricia et tous les deux se sont immobilisés près du buisson, comme frappés de stupeur. Lorsque j'arrive à leur hauteur, je me rends compte qu'ils sont blêmes.

— Qu'est-ce que…

Je suis incapable de continuer ma phrase. Cette fois, je vois à mon tour ce qui a attiré l'attention de Patricia. Je vois ce qui les a choqués tous les deux au point de les rendre muets et hagards.

Ce n'est pas un morceau de bois. C'est une main. Une main d'homme…

Je veux dire, pas la main d'un homme qui se serait endormi là pour faire la sieste, ou celle d'un itinérant qui aurait trouvé refuge sous ce buisson. Il ne viendrait à l'idée de personne d'aller se coucher dans un endroit pareil !

Et puis, la main est sale, couverte d'égratignures. Et des insectes passent et repassent entre les doigts tordus…

Cette main, c'est celle d'un cadavre.

Au-dessus de nous, inlassablement, les corbeaux continuent de tournoyer en croassant.

2

LES CORBEAUX

— Qu'est-ce qu'on fait, Julien? me demande Sébastien d'une voix sourde en se tournant vers moi.

Il est en sueur. On dirait qu'il vient de croiser un fantôme. Je crois qu'il n'ose pas regarder Patricia parce qu'il ne veut pas lui montrer que lui, un garçon, est mort de peur.

Patricia ne me laisse pas le temps de répondre.

— On fiche le camp en vitesse, siffle-t-elle entre ses dents. Imaginez un peu que quelqu'un nous trouve ici...

Elle a raison. Et elle sait de quoi elle parle: son père est inspecteur de police.

Sa voix coupante nous fait revenir à la réalité. Patricia a le même âge que nous, mais j'ai parfois l'impression qu'elle a deux ans de plus. Au moins. Il paraît que les filles sont comme ça...

Nous ne prenons pas la peine de vérifier si le mort est bien mort. Sa main est blanche et froide. Enfin, j'ai eu cette impression. Et puis les corbeaux… Dire que c'est à cause d'eux que nous sommes là!

○

Tout a commencé un peu plus tôt dans l'après-midi, après la sortie de l'école. Comme souvent, surtout en cette saison où il fait encore doux et clair assez longtemps, nous sommes allés faire un tour au bord du canal de Lachine après être rentrés chez nous pour déposer nos affaires de classe.

Sébastien habite avec ses parents dans un grand condo près du marché Atwater, moi je vis avec les miens et mon petit frère juste de l'autre côté du canal, à Verdun, et Patricia demeure seule avec son père dans la rue Notre-Dame. Ce qui fait que, en moins de cinq minutes, chacun de nous peut se retrouver chez l'un ou chez l'autre.

Nous ne formons pas vraiment une bande, mais nous sommes tous les trois de bons amis. Le bord du canal, près de la passerelle, est notre lieu de rendez-vous habituel.

Bien que ni Sébastien ni moi n'aimions le reconnaître, nous devons admettre que c'est un peu Patricia qui joue le rôle de meneuse dans notre groupe. Patricia, il faut le dire, c'est tout un personnage. Depuis la mort de sa mère, il y a deux ans – d'un cancer, je crois –, elle demeure presque toujours seule, car son père a des horaires de fou à cause de son métier et il n'est pas souvent à la maison.

Patricia, du coup, a mûri beaucoup plus vite que les jeunes de son âge et elle mène la vie dure à son père, contre lequel elle est fréquemment en rébellion ouverte. Elle avoue d'ailleurs elle-même qu'elle a un caractère de cochon… Mais l'inspecteur Lévesque adore sa fille et, tout policier qu'il soit, il lui passe bien des caprices.

Cet après-midi, donc, nous nous sommes retrouvés sur l'esplanade dallée qui sépare le canal du marché Atwater et Patricia a proposé de suivre la berge du côté nord, le long de la vieille voie de chemin de fer qui n'est presque plus utilisée.

Au moment où nous passions près de la passerelle, quelqu'un m'a appelé.

— Julien! Attends-moi!

Catastrophe! C'était Thomas, mon petit frère. J'ai fait la grimace. Il n'a que neuf ans mais il est déjà aussi exaspérant qu'une nuée de mouches noires. Je n'ai jamais la paix avec lui. Autrefois, il se contentait de casser mes jouets ou de me les voler, mais à présent c'est pire.

Je ne peux pas sortir sans qu'il me demande où je vais et, quelle que soit ma réponse, il veut m'accompagner. Quelle plaie! Toujours dans mes pattes. Évidemment, Sébastien ne manque aucune occasion de rire de moi.

— Tiens, voilà le pot de colle, se moque-t-il quand Thomas surgit pour nous coller aux basques. On va pouvoir poser des affiches...

Malheureusement, il m'est la plupart du temps impossible de m'en débarrasser. Ma mère lui donne presque toujours raison et elle affirme que, comme je suis le plus grand, je dois m'occuper de lui et le protéger. Incroyable! Ce n'est pas *moi* sa mère!

Et le pire, c'est que Patricia en rajoute.

— Il est tellement mignon, dit-elle. Laisse-le venir avec nous.

Pour corser le tout, elle l'appelle Tom-Tom, ce que je trouve parfaitement ridicule. Je suis sûr que c'est pour m'embêter. Et ça y est, me voilà une fois de plus pris avec ce moustique.

Nous sommes donc partis tous les quatre vers la rue des Éclusiers, moi traînant un peu les pieds, Thomas chantonnant sans arrêt une de ces rengaines qui ont le don de m'énerver, et qu'il n'oubliera que lorsqu'il en aura appris une autre.

Passé le pont de la rue de Charlevoix, le chemin du canal continue le long des rails, longe un moment la rue des Éclusiers, puis passe à côté d'une usine qui ressemble à un assemblage de gros cylindres de béton.

Je ne sais pas ce qu'on y fabrique, mais c'est dans l'enceinte de ces bâtiments que se termine la voie ferrée. Au-delà, il y a une sorte de terrain vague fermé par des grillages métalliques assez hauts qui s'avancent jusqu'au bord du canal. L'accès en est interdit, bien sûr. C'est sans doute pour cette raison que nous aimons bien venir rôder dans le coin...

Là où le grillage s'arrête, juste sur la berge bétonnée, il est possible de passer. Il suffit de s'agripper au poteau de la barrière et hop, après un bref passage au-dessus de l'eau, on se retrouve de l'autre côté. Nous le faisons plus souvent qu'à notre tour.

Cette fois, cependant, je n'en avais pas très envie. À cause de mon frère. D'abord, je me sentirais mal si ce pot de colle s'avisait de tomber dans l'eau du canal en franchissant la clôture. Ensuite, je ne veux pas que le soir, à la maison, il aille se vanter de m'avoir suivi dans ce terrain prohibé. Je suis sûr qu'on m'accuserait de l'y avoir entraîné!

J'allais donc proposer de retourner vers le marché pour acheter de la crème glacée quand Thomas a poussé un cri.

— Hé, vous avez vu ça?

Il nous montrait du doigt une nuée de corbeaux qui tournoyait en croassant au-dessus d'un endroit envahi par la végétation.

— Des oiseaux, ai-je lâché avec mauvaise humeur. Tu n'as jamais vu d'oiseaux?

— Mais pourquoi il y en a autant? a-t-il demandé.

J'ai haussé les épaules et je m'apprêtais à rebrousser chemin quand Patricia a déclaré:

— Il a raison. Qu'est-ce qu'ils ont à s'agiter comme ça, ces charognards? On n'en voit pas autant, d'habitude. Il doit y avoir quelque chose là-bas...

— On va voir? On va voir? s'est écrié mon frère.

— Pas question, ai-je répliqué. D'abord c'est interdit, et ensuite, tu risques de tomber dans l'eau. Regarde ça: elle est noire, elle pue et elle est pleine d'algues pourries. Si tu te retrouves là-dedans, tu meurs sur le coup.

Thomas s'est renfrogné. L'eau du canal n'est pas très engageante, c'est vrai. Quand j'étais enfant, elle me terrifiait. Je l'imaginais remplie de monstres visqueux et répugnants. Mais Thomas ne me ressemble pas. Il n'a aucune notion du danger et il se jetterait dans le feu pour récupérer une pièce de dix cents. Et Patricia, bien sûr, a brisé tout mon effet.

— J'aimerais quand même bien savoir ce que ces maudits oiseaux font là, a-t-elle dit. Tom-Tom a raison, on devrait aller voir.

— Tu es folle! Thomas est trop petit et c'est trop dangereux.

— Tu n'as qu'à repartir avec lui, a alors suggéré Sébastien avec un sourire.

Manifestement, il mourait d'envie d'accompagner Patricia. Seul… Le rouge de la honte m'est monté aux joues. Ma parole, Sébastien voulait me faire passer pour un gamin aux yeux de la belle Patricia? Piqué au vif, j'ai proposé:

— Thomas n'a qu'à rester ici pour faire le guet.

Mon petit frère m'a fusillé du regard.

— Si vous ne me laissez pas venir avec vous, je dirai aux parents que vous êtes allés dans un endroit interdit, s'est-il écrié. Et tu seras puni!

— Mais tu seras puni aussi, imbécile! ai-je rétorqué. Et on ne te laissera plus jamais sortir avec moi.

— Julien a raison, a dit Patricia, qui m'a semblé revenir un peu de mon côté. Et puis c'est vrai, Tom-Tom, il faut que quelqu'un fasse le guet ici, c'est très important. Regarde, il y a une grosse pierre. Si tu t'assois dessus, personne ne te verra ; mais toi, tu apercevras tout individu suspect qui s'approchera et tu pourras nous prévenir en cas de danger.

Les mots de Patricia ont eu un gros effet sur Thomas. « Important », « individu suspect », « en cas de danger »... Mon frère s'est senti irremplaçable, tout d'un coup. Il a bombé le torse et a hoché la tête avec un air pénétré.

— C'est d'accord, a-t-il fait. Mais vous ne restez pas trop longtemps, hein, et vous me raconterez ?

— Pas de problème, Tom-Tom, s'est écriée Patricia en s'élançant vers la clôture. Je te dirai tout !

J'ai admiré un instant la manière dont elle avait manipulé mon petit frère en moins de temps qu'il n'en fallait pour le dire, et je lui ai emboîté le pas. Sébastien nous a suivis à son tour, et nous nous sommes enfoncés dans le terrain vague.

En me retournant discrètement, j'ai vu Thomas s'asseoir sur le bloc de béton que lui avait désigné Patricia. Très sérieux, il regardait en tous sens autour de lui, comme si une nuée d'espions menaçants cherchait à se dissimuler parmi les mauvaises herbes.

J'ai esquissé un sourire et j'ai rattrapé les deux autres. Sans tarder, nous avons foncé vers l'autre bout du terrain, là où les corbeaux continuaient leur vacarme.

— On dirait une sorte de sentier, là, dans les herbes, a constaté Patricia.

Effectivement, les plantes étaient couchées sur le côté, comme si plusieurs personnes y étaient passées récemment.

— Il y a souvent des itinérants qui viennent dormir ici, a fait remarquer Sébastien en plissant le nez. Il faudrait être prudents. Ils n'aimeront probablement pas qu'on les dérange…

— Tiens donc! ai-je répliqué, trop heureux de le prendre en flagrant délit de poltronnerie après ce qu'il m'avait dit devant la clôture. Tu as peur qu'ils te fassent cuire pour leur souper si on tombe sur leur installation?

— Ça suffit, les garçons! a tranché Patricia. Tâchez plutôt de faire un peu moins de bruit.

Quelques instants plus tard, nous sommes arrivés en vue de ce buisson, vers lequel nous avaient conduits les traces laissées dans l'herbe, et nous avons aperçu cette main qui en sortait.

Sébastien ne faisait plus le fier, à présent, et je dois dire que je n'en menais pas large non plus. Et ces corbeaux qui avaient l'air de se moquer de nous! C'est alors que Patricia a déclaré: «On fiche le camp en vitesse.»

Nous ne nous le faisons pas dire deux fois. En moins de cinq minutes, nous rejoignons la clôture, hors d'haleine, et nous passons de l'autre côté comme si nous avions le feu aux fesses.

C'est Patricia qui réagit la première.

— Où est passé Thomas? demande-t-elle d'une voix inquiète.

Nous fouillons des yeux les environs, mais sans succès. Mon petit frère a disparu!

3

PANIQUE

— Le canal… bredouille Sébastien.

Nous nous précipitons sur le rebord de béton. L'eau est noire et sans une ride. À peine aperçoit-on, près de la surface, la langue effilée de quelques algues dont la base se perd dans les profondeurs.

Je me rappelle en frissonnant un fait divers qui a eu lieu pas loin d'ici, il y a quelques mois, et qui a causé pas mal d'émoi dans le quartier. Un garçon avait été retrouvé noyé dans le bassin de l'écluse de la Côte-Saint-Paul, un peu plus haut sur le canal[1].

— Non, ce n'est pas possible, voyons, murmure Patricia. Il n'a pas pu tomber à l'eau comme ça. Il a dû en avoir assez d'attendre et il est reparti chez vous.

Sébastien doit se rendre compte qu'il a parlé un peu vite.

---

1. Voir *Les Trois Lames*, du même auteur, dans la collection Atout.

— C'est ça, bien sûr, ajoute-t-il en me tapant doucement sur l'épaule. Je… je disais n'importe quoi.

Ils ont raison. Enfin, je veux le croire. Mais il me faut un long moment avant de pouvoir m'arracher à la contemplation morbide de cette eau dont l'aspect et la couleur me rappellent de mauvais souvenirs. Patricia doit finalement me prendre par la main pour m'entraîner loin de cette berge silencieuse.

Elle et Sébastien m'accompagnent jusqu'à la passerelle, sans un mot.

— Tiens-nous au courant, dit enfin Patricia au moment où nous allons nous séparer. Et…

Elle se tait un instant, puis elle ajoute à voix basse, mais d'un ton sans réplique :

— Et jusqu'à nouvel ordre, on ne dit rien à personne. C'est clair ? Surtout pas aux parents.

Sébastien hoche la tête d'un air sombre. Ils me souhaitent le bonsoir d'une voix mal assurée et tous les deux prennent à droite, vers la rue Notre-Dame.

Pour ma part, c'est sans entrain que je franchis la passerelle en direction de Verdun. L'estomac tordu par l'angoisse, je me dirige vers la rue d'Argenson, dans laquelle j'habite. Je me demande ce que je vais bien pouvoir raconter à mes parents si je ne trouve pas Thomas à la maison…

Jamais je n'ai mis autant de temps pour parcourir cette distance, que je couvre habituellement en trois ou quatre minutes. La peur de découvrir l'irréparable, sans doute. Et si, quand j'arrive, les ambulanciers étaient déjà là? Ou la police?

Lorsque je suis enfin rendu devant la porte, je constate avec soulagement qu'aucune voiture de police ou de pompiers ne se trouve garée à proximité. Je regarde ma montre et je suppose que mes parents ne doivent pas encore être rentrés, mon père de son bureau et ma mère de son gym.

Rue calme entre toutes que la nôtre. Beaucoup de maisons de ville de construction récente, quelques vieux immeubles de brique, pas une seule boutique. Je suis certain que l'aménagement récent du parc bordant le canal a fait monter les prix par ici. La rue est propre et nette. Mais on n'y voit pas un chat.

Je grimpe lentement les marches de l'entrée, écoute à la porte. Pas un bruit à l'intérieur. J'introduis ma clé dans la serrure, j'ouvre, essayant de ne pas faire de bruit. Je me demande d'ailleurs pourquoi je prends toutes ces précautions stupides, comme si j'avais peur de déranger un voleur opérant dans la maison. Oui, c'est idiot, mais c'est plus fort que moi. J'ai peur...

Je ne sais pas de quoi, mais j'ai peur. Une fois dans le couloir, après avoir refermé la porte sans la faire claquer, je m'immobilise de nouveau. Je tends l'oreille. Toujours rien. Puis, au moment où je me remets en marche pour me diriger vers ma chambre, je perçois une sorte de grattement. Le bruit provient de la chambre de Thomas, dont la porte est légèrement entrouverte.

Je m'approche, le cœur battant. Au moment où je vais atteindre la porte, je pose le pied par inadvertance sur une petite voiture qui m'a appartenu autrefois et qui est maintenant à mon frère. Je glisse et, manquant de perdre l'équilibre, je laisse échapper un juron.

Un cri étouffé me parvient de la pièce. Cette fois, je ne cherche plus à être discret. Je pousse la porte et pénètre dans la chambre.

Thomas est là, assis par terre, adossé contre son lit. Il me dévisage, l'air interloqué. Je jurerais qu'il vient de dissimuler quelque chose dans son dos. Sans doute un jeu vidéo ou un livre qu'il est allé chiper dans ma chambre.

En toute autre circonstance, je me serais jeté sur lui pour le lui reprendre sans ménagement, mais là – et ça me fait tout drôle de l'avouer! –, je suis tellement soulagé de le voir assis tranquillement que toute mon agressivité retombe d'un seul coup. Il ne se trouve pas au fond du canal! Le nœud se défait dans ma gorge.

— Tu es là? m'écrié-je, un peu secoué quand même.

Thomas me regarde un moment, étonné, puis il répond, d'une voix mal assurée:

— Ben, c'est ma chambre, non?

— Ce n'est pas ce que je veux dire, maugréé-je en retrouvant mon aplomb. Tu étais censé faire le guet près du canal, non? Où étais-tu passé? On t'a cherché partout. Patricia a même cru que tu t'étais noyé.

Thomas sourit béatement. Il semble ravi que Patricia se soit inquiétée pour lui.

— Vous ne reveniez pas, répond-il. J'en ai eu assez d'attendre, je suis rentré ici.

— Maman n'est pas là?

— Elle est partie au gym. Mais elle laisse toujours une clé sur la petite table près de la porte d'entrée. Je… euh… je l'ai prise pour sortir te rejoindre, tout à l'heure.

Il me regarde encore un moment, l'air vaguement inquiet, puis il ajoute:

— Si tu ne lui dis rien, je ne dirai pas non plus que tu es allé dans le terrain derrière l'usine.

Je suis sur le point de répondre vivement que, à mon âge, j'ai bien le droit d'aller où je veux, mais je repense soudain au cadavre que nous avons découvert. Je préfère que personne ne sache…

— D'accord, fais-je sur un ton très sérieux pour l'impressionner, essayant de lui faire croire que, dans cette affaire, nous traitons d'égal à égal. Ce sera un secret entre nous.

Thomas hoche doucement la tête. Il aime se sentir important. Je pense qu'il ne répétera rien.

Ses mains sont toujours cachées derrière son dos. Bof, il peut bien le garder, le DVD ou quoi que ce soit qu'il m'ait pris. Je sais que, dans les jours qui viennent, il me fichera royalement la paix. Et je n'ai jamais été aussi content de savoir que mon petit frère se trouve dans sa chambre plutôt qu'au fond du canal…

Une fois dans ma propre chambre, je me jette sur mon lit sans même enlever mes chaussures. J'ai beau être rassuré sur le sort de Thomas, l'image de la main de ce mort dépassant du buisson me hante. Je m'aperçois que, jusqu'à présent, l'action ou l'angoisse de savoir si quelque chose était arrivé à mon frère m'a maintenu dans un état d'excitation tel que je n'ai pas eu le temps d'y réfléchir.

Mais là, allongé sur mon lit, assuré que mes parents ne sauront pas ce que j'ai vu, la vision de ces doigts livides et tordus ne veut plus me laisser en paix. C'est comme un film qui passerait en boucle, ou un de ces refrains que chantonne Thomas à tout bout de champ et qui ont le don de me mettre hors de moi.

Je me relève, tourne en rond comme un fauve en cage, essaie un jeu vidéo, l'arrête. Est-ce que c'est ça, être obsédé ? Je me recouche, appuie mes poings sur mes yeux. J'essaie de faire apparaître le visage de Patricia – c'est une belle fille, Patricia –, mais rien ne marche. C'est cette main sale et blême qui me revient constamment à l'esprit.

Le temps ne passe pas. Il me semble lourd, collant. Ça ne sert à rien de m'énerver, pourtant. Personne ne nous a vus, j'en suis certain, et ni Thomas ni Patricia – chacun pour ses propres raisons – n'iront raconter notre mésaventure. Et j'espère bien que Sébastien saura tenir sa langue, lui aussi.

Je ferais mieux de les appeler, d'ailleurs, ne serait-ce que pour leur signaler que Thomas avait disparu simplement parce qu'il en avait assez de nous attendre et que tout va bien.

Je me relève donc pour aller téléphoner quand j'entends s'ouvrir la porte d'entrée. Puis la voix de ma mère qui lance :

— Thomas, tu es là ?

Je ne bouge pas, debout près de mon lit, ne sachant que faire. C'est alors que je remarque que les jambes de mon pantalon sont recouvertes de ces petites boules griffues et vertes que j'appelle des craquias, et que j'ai dû ramasser dans le terrain vague. Si ma mère voit ça, il me sera difficile de prétendre que je suis simplement allé manger un cornet de crème glacée au marché en regardant passer les trains !

Je dois me débarrasser au plus vite de ces stupides mouchards ! Tandis que j'entends Thomas cavaler dans le couloir pour aller extorquer un goûter à ma mère, je me mets en devoir de « m'épucer ».

Mais ces cochonneries, plus on en trouve, plus il y en a ! Et ça colle, ça s'agrippe, c'est pire que Thomas lui-même !

— Julien ! Viens-tu goûter ?

Il ne manquait plus que ça. Dois-je apparaître à la cuisine en arborant ces saletés, ou jouer à l'adolescent bougon qui préfère demeurer enfermé dans sa chambre ?

Bon, contrairement à nombre de mes amis, je m'entends très bien avec mes parents.

Du moins n'ai-je pas de problèmes avec eux. Et puis, les quelques débris végétaux qui restent encore accrochés au bas de .mon pantalon sont à peine visibles, ils ne me vaudront pas la peine de mort... Je sors de ma chambre et me dirige vers la cuisine.

Tandis que ma mère farfouille dans les placards, elle parle sans arrêt, comme d'habitude. Seul Thomas lui répond, l'interrompant avec ses sempiternels «pourquoi?», ses «c'est vrai?» et ses «ça alors!». J'écoute d'une oreille distraite, tout en me disant que j'aurais dû appeler Patricia dès mon retour. Je dois vraiment être perturbé par toute cette histoire.

C'est alors que le mot «police» me fait revenir sur terre. Ma mère doit se rendre compte de mon air ahuri, car elle ajoute:

— Tu étais là-bas?

— Non, non... Où ça? De quoi parles-tu?

— Si tu m'écoutais de temps en temps, aussi... Je disais que c'était tout un émoi dans le quartier. En revenant du gymnase, je suis passée par le pont de la rue Charlevoix et j'ai remarqué tout un remue-ménage en contrebas, du côté de la vieille malterie. Il y avait des voitures de police et une ambulance. Et une nuée de corbeaux, les enfants, si vous aviez vu ça!

J'avale péniblement ma salive, tout en essayant de n'avoir l'air de rien.

— Une bagarre?

— Peut-être, répond ma mère. Mais une bagarre qui a mal tourné, dans ce cas. Un passant qui revenait de sa promenade au bord du canal a dit que les agents avaient découvert un cadavre dans le terrain vague, celui qui est clôturé, là-bas derrière l'usine. Je n'avais rien à faire là et je suis rentrée, mais je suis sûre que les policiers y sont encore: ils interrogeaient les promeneurs et les riverains susceptibles d'avoir vu quelque chose.

Elle soupire.

— En tout cas, conclut-elle, j'espère que vous n'êtes pas allés traîner par là. Dans ces cas-là, vous savez, moins on en a vu, mieux on se porte.

4

QUI A VU QUOI?

Je suis reparti dans ma chambre, un peu nerveux, sous prétexte de faire mes devoirs.

En quittant la cuisine, j'ai croisé le regard de Thomas. Il m'a dévisagé un moment sans rien dire. Il m'a semblé mal à l'aise, puis il s'est retourné vers la table et il a mordu dans sa tartine en fermant les yeux.

Il faut absolument que j'appelle Patricia. Comme je n'ai pas de cellulaire, je dois utiliser le téléphone familial. Je ressors donc discrètement de ma chambre pour me rendre au salon. Ma mère est toujours dans la cuisine avec mon frère.

Le combiné n'est pas sur son socle, évidemment. Je finis par le retrouver sur la table du salon et je le saisis avec dégoût. Il est gras. Traces de Nutella… Je repars vers ma chambre, mais c'est trop tard. Thomas est déjà dans le couloir et il s'avance vers moi d'un pas hésitant.

Je me rends compte que, depuis tout à l'heure, il a un comportement étrange. Je n'y avais pas fait tellement attention parce que les petits frères ont *toujours* un comportement étrange, mais là, je crois que c'est vraiment exceptionnel.

Cette attitude silencieuse, embarrassée, craintive, même, ne lui ressemble pas vraiment. Le regard qu'il m'a lancé quand je suis sorti de la cuisine n'avait rien de son arrogance habituelle. Comme si la dernière phrase prononcée par ma mère l'avait profondément bouleversé.

C'est alors que je comprends. Comment ne m'en suis-je pas aperçu plus tôt, d'ailleurs ? Il est évident que Thomas a menti lorsqu'il a prétendu être rentré à la maison parce qu'il en avait assez de nous attendre. Il était bien trop excité par la « mission » que nous lui avions donnée. En fait, s'il a déserté son poste, c'est qu'il a vu quelque chose. Ou quelqu'un. Quelqu'un qui, d'une façon ou d'une autre, l'a effrayé. Et il s'est enfui sans demander son reste.

Bien sûr, il lui aurait été difficile de nous prévenir, comment l'aurait-il pu ? Nous n'avions rien prévu, aucun signal d'aucune sorte. Nous ne pensions d'ailleurs pas qu'il y avait une quelconque menace pesant sur nous à ce moment-là. Cette ruse de lui donner le rôle de guetteur n'avait pour but que de nous débarrasser de lui.

Thomas s'est immobilisé dans le couloir, toujours muet. Je lui fais signe de me suivre et chuchote :

— Viens dans ma chambre.

Il n'a pas l'habitude que je lui parle ainsi, c'est certain. En temps normal, j'essaie plutôt de l'empêcher d'y entrer. Il se balance un instant sur ses jambes, puis il me suit.

Une fois dans ma chambre, je referme la porte et je m'assois sur mon lit. Thomas reste debout au milieu de la pièce. Je suis en train de me demander comment commencer mon interrogatoire sans l'alarmer lorsqu'il déclare :

— Vous l'avez vu ?

J'arrondis les sourcils.

— Qui ?

— Le mort.

Thomas a prononcé le mot comme s'il l'avait trouvé sur un site Internet interdit aux moins de dix-huit ans.

— Oui. Enfin… non. Pas vraiment. On a aperçu sa main et on a fichu le camp en vitesse. On ne voulait pas attirer les ennuis, tu comprends. Et…

Je me rends compte que je suis en train de me justifier en face de mon petit frère comme je le ferais devant un adulte qui m'aurait pris en faute. Il faut que je me ressaisisse. C'est moi qui dois poser les questions! Je durcis le ton.

— Et toi, tu l'as vu?

Thomas me contemple comme s'il n'avait pas compris.

— Qui? répète-t-il à son tour.

— L'assassin, voyons!

Cette fois, c'est lui qui ouvre de grands yeux.

— L'assassin? Mais tu es fou! Je n'ai rien vu du tout. Et d'où est-ce qu'il serait sorti, d'abord? Vous l'auriez vu avant.

Il a raison, bien sûr. Ma question était idiote. Je voulais simplement l'amener à avouer quelque chose – je ne sais pas quoi, d'ailleurs – et je me suis couvert de ridicule. D'autant plus que l'assassin avait eu le temps d'effectuer dix fois le tour du monde depuis son crime, si j'en juge par le ballet des corbeaux autour du cadavre. Ça devait faire des jours qu'il puait, sous son buisson!

Pourtant, je sens que quelque chose tracasse mon frère, qu'il n'ose pas me dire. J'essaie de le mettre en confiance.

— Tu as raison, et puis si tu avais noté quoi que ce soit, tu me l'aurais dit, n'est-ce pas?

Thomas hoche la tête en silence. Pourquoi ne me répond-il pas «oui», tout simplement? Il y a dans son attitude une gêne que je ne m'explique pas. La peur? La peur d'avoir frôlé un criminel. La peur que celui-ci l'ait aperçu, peut-être...

Oui, c'est ça, sans aucun doute. Cette crainte, je la partage d'ailleurs avec lui. Pas tant celle que le meurtrier lui-même nous ait vus, mais n'importe qui. Un témoin, un promeneur qui pourra donner notre description aux policiers et ne nous apportera que des ennuis.

Je reprends:

— Quand tu es revenu à la maison, tu as croisé quelqu'un?

— Dans la rue, oui, sur la passerelle aussi. Il y a tout le temps plein de monde.

— Mais non, voyons! Je veux dire près de la clôture où tu faisais le guet. Le long du canal, derrière l'usine.

Thomas fronce les sourcils, comme s'il cherchait à se remémorer un détail.

— Non, personne. Enfin, je ne sais pas. Je marchais vite, de toute façon, je n'ai pas fait attention.

Étrange. Pourquoi prétend-il qu'il marchait vite? Il m'a déclaré plus tôt être reparti parce qu'il s'ennuyait, parce qu'il en avait assez de nous attendre. Dans ce cas, il aurait plutôt dû flâner, traîner les pieds. Qu'est-ce qui l'a poussé à se hâter?

Je suis de plus en plus persuadé qu'il a vu quelqu'un. L'a-t-on menacé? Le problème, c'est que plus je vais l'interroger, plus il se refermera comme une huître. Je sais bien que je n'ai pas la manière avec lui, mes parents me l'ont assez répété. Comment faire?

Je ne vois qu'une solution. Patricia. Il est complètement subjugué par cette fille qu'il admire et qui le ferait marcher sur la tête. Il a confiance en elle, il lui dira ce qui le tourmente. Mais je ne peux pas l'appeler devant lui.

C'est à ce moment que le téléphone sonne. Comme j'ai toujours en main l'appareil que j'ai pris au salon, je réponds. Comme par hasard, c'est Patricia.

— Alors! s'écrie-t-elle en reconnaissant ma voix. Et Thomas?

Elle a parlé tellement fort que mon frère a entendu. Il arbore un large sourire et agite la main comme pour lui envoyer le bonjour.

— Tout va bien, dis-je d'un ton bourru. Il est rentré sans nous attendre, c'est tout.

— Tu aurais pu me prévenir, répond-elle, en se calmant un peu. J'étais inquiète, moi.

— Oui, oui, bien sûr…

Il y a un silence au bout du fil. Patricia doit se rendre compte que je ne peux pas parler librement, parce qu'avec elle, d'habitude, il n'y a pas de gêne.

— Tu n'es pas seul ? reprend-elle à voix basse au bout d'un moment. Tu ne peux pas parler ?

— C'est ça.

— C'est bon, je suis chez toi dans cinq minutes. Attends-moi dehors.

Quelques instants plus tard, prétextant le besoin de prendre l'air, je sors de chez moi. Auparavant, adoptant une allure de conspirateur, j'ai rappelé à Thomas qu'il ne fallait rien dire à personne, surtout pas aux parents, à propos de ce que nous avions fait cet après-midi.

Thomas a gonflé la poitrine, a regardé autour de lui comme pour voir si quelque espion ne se trouvait pas caché sous mon lit ou derrière les rideaux, puis, tel un membre d'une société secrète pourchassé par toutes les polices du monde, il a levé la main droite et déclaré :

— Je le jure.

J'ai failli éclater de rire, mais je me suis retenu. S'il se vexe, je suis sûr qu'il ira tout raconter.

Je n'ai pas attendu plus de cinq minutes, assis sur les marches devant ma porte, que j'aperçois Patricia qui débouche du coin de la rue Saint-Patrick. Je me lève et file la rejoindre.

À voir mon air préoccupé, elle devine que quelque chose ne va pas. Je lui explique donc brièvement le comportement de Thomas et mes doutes à son sujet. Elle est d'accord avec moi sur le fait qu'elle réussira mieux que moi à tirer les vers du nez de mon frère.

— S'il a vu quelqu'un de suspect ou quelque chose en rapport avec le crime, je le saurai, affirme-t-elle.

Le mot «crime» me fait tiquer.

— Tu en as appris un peu plus sur ce mort? demandé-je.

— Pas beaucoup, non, mais mon père m'a appelée tout à l'heure pour me prévenir qu'il rentrerait tard ce soir à cause d'une affaire criminelle. Il n'aime pas m'en parler, d'habitude, il dit que ça ne me regarde pas et qu'il est tenu par le secret professionnel, mais je lui ai signalé que j'avais vu un gros rassemblement de policiers près du canal et...

— Tu es donc retournée sur les lieux? m'écrié-je en l'interrompant.

— Pas vraiment, non, mais je suis allée rôder sur le pont, après avoir quitté Sébastien. J'ai même aperçu ta mère qui parlait avec des passants, mais elle ne m'a pas vue. Tu... tu ne lui as rien dit, j'espère ?

— Non, bien sûr. Thomas ne dira rien non plus, je pense.

— Certain ! Il sait bien que s'il se vante auprès de tes parents d'être allé traîner près du terrain vague après ce qui s'est passé, ils ne le laisseront plus sortir de la maison.

Je hoche la tête en signe d'assentiment, puis je reviens à la conversation que j'ai interrompue.

— Ton père, alors, il t'a appris quelque chose au sujet du mort ?

— Très peu. J'ai feint d'être terrorisée par le fait qu'on ait retrouvé un cadavre aussi près de chez nous et je lui ai demandé si la victime était un jeune. Il m'a donc donné des détails pour me rassurer.

Patricia se tait, savourant son effet. Je sais qu'elle n'a pas son pareil pour manipuler son père.

— Et alors ?

— La victime est un homme d'âge mûr. La mort remonte à deux jours et, comme pour nous, ce sont les corbeaux qui ont mis la puce à l'oreille aux policiers. Nous l'avons échappé belle, d'ailleurs, puisque les premiers agents sont arrivés à peine un quart d'heure après notre départ.

Une frayeur rétrospective m'envahit et je sens la sueur me coller la chemise sur le dos.

— C'est court, un quart d'heure. Tu es certaine qu'ils ne nous ont pas vus?

— Euh, à vrai dire, je n'en sais rien, mais la plupart des policiers du quartier me connaissent. S'ils m'avaient reconnue, ils en auraient parlé à mon père et lui, il n'aurait pas laissé passer ça.

— Et Thomas? Qu'est-ce qu'il a vu, lui?

Patricia se gratte la joue, pensive.

— Je me le demande, répond-elle enfin. Mais je vais m'en occuper.

5

L'AMBIANCE SE GÂTE

Le repas du soir s'est passé dans une atmosphère un peu tendue. Mon père n'a pas arrêté de parler de ce qu'il appelle déjà le « cadavre du canal ».

— Quand je pense que des dizaines d'ados vont certainement jouer dans ce coin-là ! a-t-il commenté.

Et il a aussitôt ajouté, en me désignant du menton :

— J'espère que ce n'est pas ton cas, Julien. Il y a encore des endroits dangereux dans le quartier.

— Non, non, ai-je répliqué en affectant un air très étonné.

En même temps, j'ai remarqué que Thomas piquait du nez dans son assiette. Mon père l'a regardé un instant, puis il a conclu :

— En tout cas, faites bien attention à qui vous rencontrez dans la rue, et ne parlez pas aux inconnus.

Je l'entends depuis des années, ce refrain. Thomas aussi, d'ailleurs. Ma mère a finalement coupé court à la discussion en ramenant le sujet sur l'école et sur les devoirs à terminer.

Plus tard, au moment où j'allais me coucher, mon père m'a accompagné jusqu'à l'entrée de ma chambre – ce qui n'est jamais le cas d'habitude – pendant que ma mère disait bonsoir à Thomas dans la sienne. Il avait l'air très sérieux.

— Essaie de surveiller un peu ton petit frère, m'a-t-il suggéré à voix basse. Je sais bien que ça te pèse et qu'il t'ennuie plus souvent qu'à son tour, mais tu sais à quel point il a le goût des histoires tordues et celui du secret. Je n'aimerais pas qu'il lui arrive quelque chose à cause d'une bêtise.

J'ai promis de m'occuper de lui, et mon père est reparti. J'ai essayé de comprendre à quoi il avait fait allusion avec ce goût des histoires tordues de Thomas. Où est-il allé chercher ça ? Thomas aime bien les romans fantastiques ou les romans policiers mais, à part essayer de me piquer les miens, il ne fait rien de plus tordu que les autres.

Je dois admettre qu'il a un côté artiste que je n'ai pas. Il adore dessiner et ma mère lui a offert des cours très sérieux. Pendant

des mois, il nous a soûlés avec son vocabu-
laire de professionnel, que je le soupçonnais
de répéter comme un perroquet.

J'exagérais. C'est vrai qu'il a un don pour
le dessin, et aussi une aptitude à l'abstraction
qui dépasse certainement celle des garçons
de son âge. Il adore les jeux d'énigme. Et oui,
il est curieux comme un chat, oui il aime
inventer des histoires, oui il a de l'imagina-
tion à revendre, mais est-ce une raison pour
que je lui serve de nounou?

Enfin, me voilà promu garde du corps de
mon frère! Tout à l'heure, avant de quitter
Patricia, j'ai convenu avec elle que nous nous
retrouverions demain après la classe à notre
point de rencontre habituel, près du marché,
avec Thomas. Je n'ai pas fini de l'avoir sur
le dos!

Avant de me mettre au lit, je suis allé sur
Internet pour voir s'il y avait des nouvelles
du «cadavre du canal». En effet, les journalistes sont déjà sur les dents. Je me demande
d'ailleurs pourquoi il y en a autant, des
journalistes, puisque tous disent à peu près
la même chose…

Le nom de l'homme retrouvé mort n'a pas
encore été divulgué, mais les circonstances de
son décès sont plutôt curieuses. La victime,
selon la police, n'a pas été assassinée: elle a

succombé à une crise cardiaque. Il n'y aurait donc pas eu meurtre.

Cependant, le corps a été retrouvé à demi enfoui sous des buissons, partiellement recouvert de terre et de branchages. Les enquêteurs en déduisent que l'homme est probablement mort ailleurs et qu'il a été transporté dans cet endroit reculé et peu accessible *après* sa mort, même si la raison de ce « transport » demeure mystérieuse.

Sur les lieux, de nombreuses traces, dont certaines très récentes, assurent les enquêteurs, accréditent cette thèse et font l'objet d'un examen approfondi de la part des policiers.

Ce dernier détail ravive soudain mon inquiétude. Les traces récentes en question, ce sont celles que nous avons laissées nous-mêmes, c'est certain! L'un de nous n'a-t-il pas perdu un objet lors de notre fuite éper-due? Et si la police remontait jusqu'à nous?

Dans toutes les séries télévisées, dans tous les romans policiers, on identifie des crimi-nels diaboliquement habiles rien qu'avec un cheveu ou une trace de doigt laissée sur un bouton de porte. Alors nous, qui n'avons rien de diabolique ni rien de criminel? Que fera l'inspecteur Lévesque lorsqu'il découvrira sur les lieux une boucle d'oreille ou une pince à cheveux qu'il aura offerte quelques jours auparavant à sa fille?

Ou encore des empreintes de chaussures. Sans compter les chiens policiers, capables de renifler le moindre fuyard des heures après son passage! J'imagine déjà les limiers des agents patrouillant le long du canal relever la truffe dans ma direction alors que je rentre de l'école, puis se mettre à aboyer sauvagement en se lançant à ma poursuite…

Et les craquias! Il en reste encore quelques-uns sur le bas de mon pantalon. Le moindre enquêteur comprendra que je me suis trouvé moi-même sur les lieux du crime. Qu'aurai-je à dire pour ma défense?

Je referme l'ordi et enlève mon pantalon, que j'étale sur mon lit. Puis, un par un, je retire soigneusement les maudits mouchards verts. Dès demain matin, j'enfouirai le vête-ment tout au fond du panier de linge sale.

Je ne sais pas à quelle heure je me suis endormi hier soir, torturé que j'étais par mille questions, mais j'ai eu un mal fou à me sortir du lit ce matin.

Mon père est déjà parti quand je me rends à la cuisine pour déjeuner et ma mère babille comme d'habitude. Thomas, en revanche, me paraît bien silencieux. J'évite de croiser son regard.

C'est ma mère qui l'accompagne à son école (il est encore au primaire) et je me rends seul à la mienne, la polyvalente de Saint-Henri.

La journée est maussade. Contrairement à ce que j'aurais cru, personne à l'école ne parle de « l'affaire ». En fin de compte, c'est tout à fait compréhensible. Un meurtre de plus ou de moins, et sans violence particulière, ça ne remue pas les foules.

Du coup, Sébastien, Patricia et moi évitons d'en parler. Inutile d'attirer l'attention sur nous. Patricia me glisse, au cours de la matinée, qu'elle n'a rien pu apprendre de plus de son père, mais qu'elle va le « travailler au corps » jusqu'à ce qu'il satisfasse sa curiosité. J'aime cette expression, même si je ne vois pas très bien comment elle compte s'y prendre...

Quant à Sébastien, j'ai l'impression qu'il cherche simplement à oublier l'incident. Finalement, dans l'après-midi, je conviens avec Patricia qu'il est inutile de procéder à « l'interrogatoire » de Thomas. Sébastien a raison. Autant ne plus penser à tout ça.

Après le dernier cours, je décide donc de rentrer à la maison et de n'en plus ressortir jusqu'au lendemain.

Alors que j'arrive à proximité de chez moi, je remarque qu'un type se tient sur le trottoir d'en face, à une centaine de pas de là. Assez jeune. Il a les mains dans les poches et est adossé au mur d'un vieux bâtiment de briques qui n'attend sans doute que d'être détruit pour céder la place à des condos tout neufs.

Il n'est pas interdit de se tenir dans la rue, mais je me demande tout de même ce qu'il fait là alors qu'il n'y a pas le moindre magasin ni le moindre bar dans cette portion de la rue.

Je monte les marches sans trop lui prêter attention mais, au dernier moment, alors que j'introduis ma clé dans la serrure, je me retourne vers lui. Le type est toujours là, au même endroit, immobile. Nos regards se croisent durant une fraction de seconde, puis il me tourne le dos et s'éloigne dans le sens opposé d'un pas vif.

À la maison, je trouve Thomas seul dans sa chambre. Comme il n'a pas de clé de la maison, il s'arrête au retour de l'école chez la voisine d'à côté, Suzelle, avec qui ma mère est assez amie et qui possède une clé de chez nous. Là, soit il reste un moment chez elle, soit elle lui ouvre la porte parce qu'il préfère jouer dans sa chambre. Solution qu'il choisit le plus souvent.

Je l'ai rarement vu aussi calme. Assis près de son lit, comme hier, il est occupé à griffonner sur un vieux cahier. Il lève les yeux vers moi au moment où je passe devant sa porte, puis, sans un mot, il se replonge dans son activité. Je continue vers ma chambre et allume mon ordinateur.

Deux minutes se sont à peine écoulées que le téléphone sonne. Je suppose qu'il s'agit de Patricia. Elle a peut-être du nouveau. Je me précipite vers le salon, mais la sonnerie cesse alors que je suis toujours dans le couloir. Encore un faux numéro. Je hausse les épaules et fais demi-tour.

En repassant devant la porte de mon frère, qui est restée entrouverte, j'aperçois celui-ci dans une drôle de position, la main sur l'oreille. Non, pas la main sur l'oreille. Il est au téléphone. Mais il ne dit rien. Je lui fais signe.

— C'est qui?

Il repose le combiné sur ses genoux et me dévisage, l'air interdit.

— Personne, répond-il après un moment. Il n'y avait personne au bout de la ligne.

Ce qui me paraît bizarre, c'est que je ne l'ai pas entendu répondre lorsque la sonnerie a cessé. Je ne sais que penser. Et d'abord, pourquoi le téléphone se trouve-t-il dans sa chambre? Il y a droit autant que moi, bien sûr, mais je ne m'explique pas sa mine décontenancée.

Je me dispose à repartir dans ma chambre quand la sonnerie retentit de nouveau.

— Laisse-moi répondre! dis-je d'un ton sans réplique.

Thomas ne résiste pas et me tend le combiné. Je le saisis et regarde l'écran pour vérifier l'identité de l'appelant. Correspondant inconnu, indique le message. J'appuie sur le bouton de mise en ligne.

— Oui?

Je réponds toujours «oui» au téléphone. Ça amuse Patricia, qui me fait remarquer que je dis oui alors qu'elle ne m'a encore rien demandé. Sauf que là, je n'ai pas envie de rire. Personne ne me répond, mais je sais que quelqu'un est au bout du fil. J'entends un bruit étouffé de respiration.

— Qui est là?

Toujours aucune réponse. Je me rends compte que je transpire abondamment et qu'une coulée de sueur dégouline du combiné téléphonique. Qu'est-ce que c'est que cette histoire ? Je n'aime pas ça… Puis l'inconnu raccroche, et je n'entends plus que la tonalité de la ligne.

— C'était qui ? demande Thomas, l'air un peu inquiet.

— Je ne sais pas. Quelqu'un, en tout cas. Je l'ai entendu respirer.

Thomas se mord les lèvres, mais ne dit rien. Je repense à ce type que j'ai aperçu tout à l'heure dans la rue. Est-ce que les deux incidents sont liés ? Le bonhomme était-il en train de surveiller la maison ? Si c'est le même, sans doute a-t-il appelé d'une cabine publique pour éviter d'être identifié, ce qui explique le message sur l'écran. Mais qui est-il, pourquoi nous surveille-t-il, comment connaît-il notre numéro de téléphone ?

Bien entendu, rien ne le prouve, mais je ne peux pas m'empêcher de faire le lien avec le cadavre que nous avons découvert hier. Et j'en viens à me dire avec angoisse que l'idée que personne ne nous a vus près du terrain vague est tout ce qu'il y a de faux. Quelqu'un nous a repérés et identifiés. Les policiers ? Non, c'est absurde, les enquêteurs de la police ne joueraient pas un tel jeu. Qui, alors ?

Le meurtrier, bien sûr…

6

LE MORT SE RÉVÈLE

Que faire? Tout avouer aux parents? Si mon frère et moi sommes vraiment menacés, il n'y a pas d'autre solution, même si les conséquences risquent d'être aussi peu agréables pour l'un que pour l'autre.

Ou bien appeler Patricia, lui raconter ce qui vient de nous arriver afin qu'elle en avise son père? Celui-ci enverra des agents en faction rue d'Argenson et nous serons au moins protégés.

Mais, dans ce cas, l'histoire reviendra forcément aux oreilles de mes parents, et ils jugeront peut-être pire de ne pas avoir été avertis les premiers. Encore des problèmes en perspective. La situation me paraît sans issue.

J'essaie de me calmer, de réfléchir au lieu de me laisser entraîner par les sentiments et par la peur.

Voyons: qu'est-ce qui me prouve que ces appels téléphoniques ont un rapport avec la découverte du cadavre ? Celui-ci moisissait là depuis trois jours lorsque nous l'avons trouvé. L'homme qui l'a déplacé pour le dissimuler (et qui, apparemment, ne l'a même pas assassiné !) devait donc être déjà loin à ce moment-là. Pour quelle raison serait-il revenu sur les lieux, courant ainsi le risque de se faire pincer ?

Et, même si c'était le cas, même s'il nous avait vus à proximité du corps, quel danger pouvions-nous représenter pour lui ? Le mieux qu'il pouvait faire était de disparaître aussitôt, non de se faire remarquer en s'exposant dans notre rue et en effectuant des appels anonymes.

Non, plus j'y réfléchis, plus je me dis que les deux événements ne sont qu'une simple coïncidence, et que seul mon affolement me fait établir un lien entre eux. Le cadavre du canal, même si son image me hante encore, est quelque chose du passé maintenant. Nous n'avons rien à voir avec lui.

Quant à ce type, dans la rue, ce n'est sans doute qu'un petit trafiquant qui m'a déjà repéré à l'école et essaie d'en savoir davantage sur moi avant de me proposer sa marchandise. C'est déjà arrivé à d'autres élèves de l'école. Ceci ne m'empêche pas de rester prudent, bien sûr, mais il est sans doute inutile à ce stade d'alarmer ma famille.

Je m'empresse de rassurer Thomas au sujet des appels, afin qu'il ne commette pas d'impair ce soir avec nos parents. En ce qui concerne le mystérieux appel téléphonique, j'ajoute en haussant les épaules :

— Quelqu'un aura composé un faux numéro. Il n'y a pas de quoi fouetter un chat.

Le soir même, pourtant, le même manège se reproduit alors que nous sommes à table. La première fois, c'est ma mère qui décroche. Elle reste un moment au bout du fil, les sourcils arrondis, puis raccroche en disant :

— Une erreur, sans doute.

Puis, à dix minutes à peine d'intervalle, nouvelle sonnerie. Cette fois, c'est mon père qui se lève. Il prend le combiné et réplique d'un ton un peu énervé. Puis il se fâche carrément et il repose l'appareil sur son socle d'un geste irrité en déclarant :

— Quand on ne sait pas se servir d'un téléphone, on marche à pied !

Je ne vois pas bien le rapport. Il a dû avoir une mauvaise journée au bureau...

Dès le lendemain, à l'école, je mets Sébastien et Patricia au courant des derniers événements. Je n'ai pas voulu les appeler hier de la maison parce que je n'avais pas envie que mes parents surprennent mes conversations et me posent des questions.

Patricia est du même avis que moi sur le «rôdeur-téléphoneur» qui nous harcèle. Il n'a rien à voir avec l'affaire criminelle du canal. Un petit trafiquant qui cherche à m'attirer parmi ses clients, oui, certainement. Elle me promet d'en parler à son père pour qu'il mette quelqu'un sur le coup.

— Mais ce ne sera pas facile, tu sais, ajoute-t-elle. Mon père dit que si on devait mettre un policier derrière chaque trafiquant, il faudrait au moins tripler les effectifs de la police.

C'est rassurant...

Pour changer de sujet, je lui demande si les enquêteurs en savent plus sur le mort du canal car, aux dernières nouvelles, l'homme n'avait pas été identifié. Elle m'apprend qu'il l'est depuis le début mais que l'information est demeurée secrète parce que son père était sur une piste et qu'il ne voulait pas attirer l'attention du suspect en la dévoilant.

— Le mort, poursuit-elle, était un vieux bonhomme sorti de prison depuis peu après avoir purgé sa peine.

— Un criminel? fais-je avec une certaine excitation. Une histoire de règlement de comptes, alors.

— Pas vraiment, répond Patricia. L'homme, un nommé Workman, a provoqué un grave accident de la route il y a une quinzaine d'années. Il était en état d'ivresse. Il s'en est plutôt bien tiré, mais dans l'autre voiture se trouvait une famille montréalaise. Et là, c'est autre chose. Les deux parents sont morts sur le coup et seul leur enfant, un garçon de sept ans qui se trouvait à l'arrière, a survécu. Il va sans dire qu'il a souffert de graves séquelles psychologiques durant de longues années. Il aurait aujourd'hui dans les vingt-deux ou vingt-trois ans. Mon père pensait que ce garçon, ayant appris la sortie de prison du meurtrier de ses parents, avait peut-être décidé de se venger.

— Il y a de quoi, en effet. Sa vie a dû être gâchée.

— Sans doute, oui, et mon père a donc orienté ses premières recherches dans ce sens. Mais c'était une fausse piste. Quelques mois après s'être marié, au début de cette année, Luc Fournier, le jeune homme en question, est mort à son tour d'un accident de la route. C'est à vous dégoûter de monter dans une voiture. Il y a vraiment des familles qui n'ont pas de chance…

— L'enquête n'avance donc pas ?

— Je ne sais pas. Mon père ne me dit pas grand-chose et je suis obligée de lui extorquer la moindre information en déployant des trésors d'astuce féminine… En tout cas, il est d'humeur plutôt sombre, donc je pense que, effectivement, il piétine. Tout ce que j'ai pu apprendre au sujet de Workman, c'est qu'il était loin d'être pauvre et qu'il possédait un gros garage à Verdun.

— Il y a une chose que je ne comprends pas, dit tout à coup Sébastien, qui semblait ruminer depuis un moment. Nous parlons de meurtre, de victime, d'assassin, et pourtant, aux nouvelles, on a prétendu que cet homme, ce monsieur Workman, était mort d'une crise cardiaque.

— C'est vrai, réplique Patricia. Il s'agit de la cause immédiate de sa mort. Mais réfléchis un peu : un vieil homme ne va pas mourir d'un arrêt du cœur dans un terrain vague entièrement clôturé et interdit au public, auquel on ne peut accéder qu'au prix de quelques acrobaties. Qu'est-ce qu'il était allé faire dans un endroit pareil ? Ensuite, il est prouvé que le corps a été transporté sur une assez longue distance. Pour quelle raison, on n'en sait rien, mais il est évident que quelqu'un avait besoin de faire disparaître ce cadavre encombrant. Il y a donc clairement, quelque part, une intention criminelle.

— Il a peut-être été menacé de mort ou de sévices, dis-je pour abonder dans ce sens. Mais comme il était cardiaque, son cœur a lâché et le «meurtrier» s'est trouvé pris de court.

— C'est bien ce que pense mon père, confirme Patricia.

— C'était quand même un beau salaud, conclut Sébastien en hochant la tête. Une famille détruite de cette façon parce qu'il avait pris la route alors qu'il n'aurait pas dû…

— Oui, bien sûr, admet Patricia. Mais il avait purgé sa peine.

— Et tu crois que ça aura suffi à ce garçon pour remplacer ses parents et son enfance perdue? poursuit Sébastien qui s'anime de plus en plus.

— Non, non, bien sûr, mais là n'est pas la question, bredouille Patricia, qui semble gênée.

Sébastien hausse les épaules puis, sans ajouter un mot, il pivote sur ses talons et s'éloigne d'un pas vif. Je me tourne vers Patricia.

— Qu'est-ce qui lui prend?

— Un de ses cousins est mort sur la route dans des circonstances de ce genre, murmure Patricia. Il n'y a pas très longtemps. Je ne crois pas qu'il soit possible de le raisonner sur ce sujet.

— D'autant plus qu'on ne peut pas lui donner tout à fait tort.

— Oui, sans doute, répond Patricia en faisant une légère grimace. Mais se faire justice soi-même n'est pas non plus une solution. On se venge, puis on se venge du vengeur, et ainsi de suite. C'est une ronde sanglante, ça n'a pas de fin. Nous ne vivons plus dans un système tribal où le sang appelle le sang.

Elle a raison, bien sûr, mais je comprends Sébastien aussi. La justice est une belle chose sur le papier, mais quand c'est un de nos proches qui est victime d'un crime ou d'une injustice, il est facile de redevenir sauvage.

Enfin, il semble en tout cas que notre présence hier après-midi derrière l'usine ne porte pas à conséquence, comme nous le craignions. C'est du moins ce que je fais remarquer à Patricia.

À ma grande surprise, elle me répond:

— Ne crois pas ça, ce n'est pas aussi simple. Mon père ne me dit pas tout, loin de là. Heureusement, j'ai les oreilles qui traînent. J'ai surpris une conversation qu'il a eue au téléphone avec un de ses collègues. Il n'est pas certain que la ou les personnes qui ont déplacé le cadavre aient agi tout de suite après la mort de monsieur Workman. D'après lui, il est possible qu'elles soient revenues à plusieurs reprises.

— Ça n'est pas rassurant. Qu'est-ce que ça signifie pour nous?

— Je ne sais pas. Qu'ils nous ont vus, peut-être, et qu'ils nous recherchent. Mais il est possible aussi qu'ils soient simplement à la recherche de quelque chose qui n'a rien à voir avec nous.

— Un objet de valeur?

— Ou un objet qui les accuse. Lorsqu'un assassin ose revenir sur le lieu de son crime, au risque de se faire repérer, c'est qu'il a une bonne raison de le faire. Effacer des traces compromettantes, par exemple.

— Dans ce cas, il serait revenu tout de suite après, il n'aurait pas attendu trois jours.

— Sauf s'il n'a rien trouvé et qu'il cherche encore.

— Et c'est alors qu'il nous aurait vus?

Je n'avais pas besoin de ça. Dans quel pétrin nous sommes-nous fourrés sous prétexte de jouer aux aventuriers ? Avant même que Patricia me réponde, j'ajoute :

— Et tu crois qu'il nous a suivis ?

— Ce n'est pas impossible.

Je ne comprends pas le calme dont Patricia fait preuve en affirmant une chose pareille.

Pour ma part, j'ai l'impression que le cauchemar recommence.

7

MENACES

Dès le dernier cours de la journée terminé, je file sans traîner. J'ai le sentiment d'être seul au cœur d'un piège en train de se refermer sur moi.

Sébastien semble se désintéresser de l'affaire du canal. Pour lui, apparemment, le vieux Workman a mérité son sort et il est inutile de s'attarder sur le sujet. Patricia, quant à elle, a l'air de trouver que, au bout du compte, tout ça n'a guère d'importance et que, sitôt que l'enquête aura abouti, tout redeviendra comme avant.

Pour ma part, c'est l'inverse. Comment me détacher de ce drame ? On dirait que c'est principalement autour de moi que se noue cette intrigue dont je ne comprends pas la trame : qu'est-ce que j'ai à voir avec cette sinistre histoire ? On m'espionne, on me téléphone, on veut me rendre fou…

Mais qui ? Dans quel but ?

L'attitude de Thomas n'arrange rien. Lui aussi semble redouter quelque chose, même s'il ne veut pas l'avouer. Tant pis, je me passerai de la médiation de Patricia. Après tout, je sais comment prendre mon frère pour susciter sa confiance et le forcer à parler.

Il y a toujours eu entre nous cette opposition due à notre différence d'âge. Cinq ans, ça fait beaucoup et nous n'avons jamais eu les mêmes centres d'intérêt – du moins au même moment. Mais lui, lorsqu'il émerge de ses bouquins et de ses rébus, il ne rêve que de m'accompagner dans le monde des «grands»; tandis que moi, je voudrais seulement qu'il me laisse enfin tranquille.

Chacune de mes réactions face à ses tentatives d'approche le mortifie, je le sais bien, et nos parents ne sont pas les derniers à me dire que je devrais me montrer plus patient avec mon petit frère. Mais la patience n'est pas le fort de l'adolescence, dit-on...

Pourtant, bien que Thomas m'énerve profondément, je sais bien que, dans le fond, c'est de l'admiration qu'il éprouve pour moi. S'il veut me suivre, c'est parce que je suis – à mon corps défendant – son héros. Alors, si je le considère – ou si je feins de le considérer – comme un égal, comme un ami à qui je peux confier mes secrets, je sais qu'il tombera dans le panneau et qu'il videra son sac.

Car j'en suis plus persuadé que jamais : avant-hier, tandis qu'il nous attendait en faisant prétendument le guet, Thomas a vu quelqu'un, ou quelqu'un l'a vu et il s'en est rendu compte.

Je me hâte donc vers la maison pour avoir le temps de discuter avec lui avant l'arrivée de ma mère. Je suis soulagé, en débouchant rue d'Argenson, de constater que mon fouineur d'hier n'est pas là. Une fois entré, je me dirige vers la chambre de Thomas.

— Thomas ?

Pas de réponse. Je pousse la porte de sa chambre. Vide ! Qu'est-ce que ça signifie ? Un filet de sueur me descend le long du dos.

J'appelle encore, plus fort :

— Thomas !

Rien. Je me rue dans le salon, dans ma chambre, dans celle de mes parents. Personne ! Je descends dans le garage par la petite porte de communication qui s'ouvre dans l'entrée. Vide…

Il l'a retrouvé ? *Il* l'a enlevé ? Je me précipite sur le téléphone. Appeler qui en premier ? La police ? Non, ma mère…

Puis, au moment où je saisis le combiné, je me rends compte à quel point la panique me fait perdre tout sens des réalités. J'ai agi comme un enfant de cinq ans. Si mon frère n'est pas là, c'est sans doute parce qu'il est resté chez Suzelle en rentrant de l'école.

C'est parfois le cas, soit parce que Thomas n'a pas envie de rester seul à la maison, soit parce que notre voisine lui a offert un goûter qui lui plaît, soit encore parce qu'il a un devoir à terminer et que la vieille dame lui a proposé de l'aider.

Je ressors donc de la maison et je vais sonner à côté. Suzelle m'accueille avec son sourire habituel.

— Eh bien, Julien, ce n'est pas souvent que je te vois ici. Ton petit frère te manque ? Entre donc, vous allez goûter ensemble.

Il y a trois jours, ce genre d'humour m'aurait énervé, mais là, je me sens plutôt libéré d'un poids. Je n'en reviens pas, voilà deux fois en peu de temps que je suis content de retrouver mon frère…

Cependant, malgré sa gentillesse, je n'ai pas envie de passer une heure chez Suzelle. Je ne suis pas d'humeur à discuter de mes résultats scolaires ou de mes éventuelles petites amies. Je n'aurai pas à le faire, d'ailleurs.

Thomas vient d'apparaître dans le couloir, l'air étonné.

Je prétends que je viens d'apporter un nouveau jeu vidéo qui lui plaira beaucoup et lui demande simplement de me suivre. Je ne sais pas s'il me croit, car il ne sourit même pas à cette déclaration, qui en d'autres temps l'aurait transporté de joie. Quoi qu'il en soit, il repart dans l'appartement pour chercher son sac et, de retour, il se hisse sur la pointe des pieds pour embrasser Suzelle sur la joue.

Quelques instants plus tard, nous nous retrouvons tous les deux dans ma chambre. *Ma* chambre! Lieu interdit dans lequel Thomas, d'habitude, n'est jamais admis. Et c'est la deuxième fois en deux jours! Je remarque son air presque impressionné, comme s'il venait d'entrer dans la caverne d'un sorcier.

Je continue de jouer ce jeu à fond.

— Il faut que nous parlions sérieusement, Thomas, dis-je d'une voix grave.

Mon frère me regarde avec de grands yeux, comme s'il ne savait pas encore si je l'ai amené dans ma chambre pour lui reprocher quelque chose ou pour lui offrir un cadeau.

J'aurais aimé qu'il me réponde, même d'un seul mot, pour pouvoir continuer, mais il demeure muet. Du coup, je perds mes moyens. Je ne sais plus comment poursuivre. Que lui demander, d'ailleurs? Et de quelle manière? C'est un monde bizarre que celui des petits frères, je ne sais pas comment l'aborder.

C'est alors qu'il me pose cette question, cette question complètement ahurissante:

— Tu crois que c'est lui?

— Qui, lui?

— L'assassin du canal.

— Mais de qui parles-tu, enfin?

— De ce type qui nous surveille dans la rue. Il est venu me parler aujourd'hui. À la sortie de l'école.

Je tombe des nues. Depuis combien de temps Thomas s'est-il aperçu que cet homme nous surveillait? Et en quoi Thomas peut-il être intéressant pour ce type? Il est un peu jeune pour qu'un *pusher* s'en prenne à lui, il me semble.

— Qu'est-ce qu'il te voulait? dis-je d'une voix que j'aurais souhaitée plus assurée.

— Je ne sais pas, bégaie Thomas. Je n'ai pas bien compris. Il m'a dit de me mêler de mes affaires, que sinon je passerais un mauvais quart d'heure.

— Quelles affaires?

— Il ne me l'a pas dit. Il m'a pris par le bras et il m'a serré fort. Il m'a fait mal.

Thomas grimace et se frotte le bras gauche. J'ai l'impression qu'il va éclater en sanglots.

— Mais ça n'a pas de sens, voyons! Tu le connais, ce gars-là? Tu l'avais déjà vu? À quoi est-ce qu'il ressemble?

Thomas semble effrayé par ce flux de questions que je viens de lancer d'une voix forte et il me dévisage, bouche bée, comme si je le menaçais à mon tour. J'essaie donc de me calmer un peu et, après avoir respiré un grand coup, je reprends d'un ton plus doux:

— Un type dans la vingtaine, les cheveux assez courts, bruns, avec un blouson en jean?

Je ne trouve pas d'autres signes distinctifs qui pourraient caractériser l'homme que j'ai vu hier adossé au mur, de l'autre côté de la rue. Même si je devais le décrire à la police, je ne pourrais pas faire mieux.

— Euh, oui, je crois, bredouille Thomas. Il avait les yeux bleus, aussi. Ou gris. Enfin, clairs…

— Et tu l'as déjà rencontré?

— Non, jamais.

Thomas hésite, puis reprend:

— Oui… Hier, en rentrant de l'école, je suis passé devant lui. Il m'a regardé longtemps, mais il n'a rien dit. C'est aujourd'hui seulement que…

Thomas se tait. Il est exaspérant! Veut-il me cacher quelque chose ou est-ce la peur qui le paralyse? Il est pâle, c'est vrai. Lui, si agité d'habitude, me semble figé, comme s'il s'était mis à fonctionner au ralenti. Je m'assois près de lui et pose mon bras sur son épaule.

— Dis-moi exactement ce qui s'est passé. Je peux t'aider. Je te défendrai. Je…

Thomas secoue la tête.

— C'est aussi ce qu'elle m'a dit, avoue-t-il d'une toute petite voix. Mais ce n'est pas si facile. Elle m'a dit que si je parlais de ce qui s'est passé, l'autre allait revenir et que là, il me ferait vraiment mal. Qu'elle ne pourrait plus rien pour moi…

— Mais qui, « elle »?

— Je ne suis pas sûr. Sa sœur, je crois. Ou son amie. Ou une travailleuse sociale, je n'ai pas bien compris.

Je sens que je vais exploser. Est-ce que Thomas se moque de moi, ou est-il vraiment englué dans une histoire qui le dépasse complètement? Non, il ne se moque de personne. Je me rends compte qu'il tremble légèrement. En fait, il est terrorisé. Il faut que je me calme, sinon je n'en tirerai rien.

— Tu as raison, dis-je au bout d'un moment. Il ne faut rien dire à personne.

D'ailleurs, on ne te croirait pas. C'est trop bizarre, comme histoire. Mais à deux on sera plus forts. Dis-moi ce qui s'est passé et je ne répéterai rien à personne, je te le jure.

Le piège est un peu gros, mais je pense que j'ai assez d'ascendant sur mon petit frère pour qu'il tombe dedans.

Effectivement, je le sens se détendre un peu. Puis, dans un murmure à peine audible, il me raconte ce qui s'est passé.

— Quand je suis sorti de l'école, j'ai suivi le même chemin que d'habitude. D'abord jusqu'à la rue Charlevoix, avec Véro et sa mère, et ensuite tout seul jusqu'à Mullins et jusqu'ici. Je mets un quart d'heure, d'habitude. Le type est apparu devant moi d'un seul coup, à mi-chemin sur Mullins. Il devait me suivre. Il m'a rattrapé et il m'a coupé la route. Il m'a tout de suite saisi par le bras et il m'a serré vraiment fort. J'ai failli pleurer…

De nouveau, Thomas se frotte le bras.

— Il a commencé à me dire des gros mots, que des petits merdeux comme moi il n'en faisait qu'une bouchée, et que j'étais un sale petit voleur, qu'il allait me casser le bras, je ne sais plus quoi encore… Il m'a vraiment fait mal.

— Je ne comprends pas, là. Qu'est-ce que tu lui as volé ?

— Mais rien! s'exclame-t-il avec une soudaine violence. Rien du tout! Je ne sais pas de quoi il parlait!

Il m'énerve… Mais je sens que je vais le perdre. Ce n'est pas le moment de le prendre à rebrousse-poil.

— Je sais bien, Thomas. Mais pourquoi est-ce qu'il t'a accusé? Continue. Qu'est-ce qui s'est passé ensuite?

— J'ai commencé à crier, mais il m'a mis la main sur la bouche et là, j'ai vraiment eu peur. Il n'y avait personne dans la rue. J'ai cru qu'il allait me tuer. Et puis, tout d'un coup, il m'a lâché et il s'est sauvé. J'aurais dû me sauver aussi, mais j'avais tellement peur que je ne pouvais plus bouger.

Ma main est toujours posée sur l'épaule de mon frère. Il tremble encore.

— C'est à ce moment-là qu'elle est arrivée. Je ne l'avais pas vue venir. Elle a posé sa main sur mon bras et elle m'a dit que tout allait bien, que ce sale type était parti et que je n'avais rien à craindre.

— Mais pourquoi as-tu dit que c'était sa sœur ou son amie?

— Je ne sais pas. Elle avait l'air de le connaître. Elle m'a dit qu'il était fou et que, d'habitude, il n'était pas méchant. Mais que parfois il avait des crises et qu'il pouvait devenir dangereux. C'est pour ça que j'ai pensé qu'elle était peut-être une travailleuse sociale.

— Il y a une chose qui m'échappe. Pourquoi t'a-t-elle demandé de ne rien dire à personne de ce qui venait d'arriver?

— Parce que ça le rendrait fou pour de bon, elle m'a dit. Elle a ajouté que le meilleur moyen de le calmer, c'était de lui rendre ce que je lui avais pris et qu'avec ça, il serait content et redeviendrait doux comme un agneau.

— Je ne comprends toujours pas. Tu m'as dit que tu ne lui avais rien volé.

— Non, je n'ai rien volé à personne. C'est ce que je lui ai répondu, à cette dame. Elle a dit que peut-être je ne l'avais pas fait exprès, que j'avais trouvé quelque chose qui lui appartenait, un objet qu'il avait perdu et qu'il m'avait vu mettre dans ma poche.

Tout à coup, je me rappelle un détail auquel je n'avais attaché aucune importance sur le moment. Avant-hier, après la découverte du cadavre dans le terrain vague, quand je suis rentré à la maison et que j'ai retrouvé Thomas dans sa chambre, celui-ci a dissimulé quelque chose derrière son dos.

Sur le coup, j'ai pensé qu'il m'avait pris un livre ou un jeu vidéo, puis j'ai oublié ce détail. Pourtant, rien n'avait disparu dans ma chambre. C'est depuis cet instant, je m'en souviens, que le comportement de Thomas a changé. De gamin agité et bavard, il est devenu muet et étrangement passif.

Tout s'éclaire soudain pour moi. Dès le début, j'avais soupçonné que Thomas avait vu quelqu'un ou quelque chose, près du canal, et que c'était à cause de ça qu'il était rentré précipitamment à la maison. Avais-je donc raison ?

— Thomas, il va falloir que tu cesses de faire l'imbécile avec moi. Tu joues avec le feu et tu ne te rends pas compte de ce que tu risques. De ce que tu nous fais risquer à tous.

Mon frère baisse la tête, puis il renifle, comme si les larmes lui montaient aux yeux. Je reprends, d'une voix plus douce :

— Allons, avoue. Ça ne sert plus à rien de mentir. Tu as trouvé quelque chose près du terrain vague, avant-hier, c'est bien ça ?

8

LE CARNET

Thomas demeure prostré pendant un long moment. Je ne dis rien. Je ne veux pas le brusquer alors que je le sens prêt à se relâcher. D'ailleurs, le silence est parfois plus impressionnant qu'un flot de paroles.

Enfin, il relève la tête et se tourne vers moi. Je n'arrive pas à saisir ce qu'exprime son visage. Peur, incompréhension, tristesse? Un mélange de tout cela, peut-être. Il pousse un long soupir et murmure d'un ton fatigué:

— Viens, je vais te montrer.

Nous nous levons et nous dirigeons vers sa chambre. Pour une fois, je ne souris pas face à son désordre, à ses affiches naïves exhibant des héros de dessins animés ou des chanteurs blondasses qui semblent avoir un âge mental de quelques années inférieur au sien.

Je m'arrête au milieu de la pièce. Thomas s'avance jusqu'à son lit, se retourne vers moi, me regarde comme s'il hésitait encore, puis il s'agenouille près de la tête du lit et glisse sa main sous le matelas. Il en retire un objet du format d'un jeu de cartes, mais moins épais.

Il s'agit d'un genre de calepin de petite taille, recouvert de plastique noir. Un de ces cahiers de poche comme on en trouve dans les magasins à un dollar. Un objet tout ce qu'il y a d'anodin…

Sans dire un mot, il me le tend.

Je prends le carnet et commence à le feuilleter. Je ne sais pas à quoi je m'attendais – à rien de particulier, à vrai dire –, mais je dois avouer que je suis surpris.

Le carnet est presque vierge, hormis les toutes premières pages. Quelques chiffres alignés et, surtout, une succession de petits dessins naïfs représentant des objets usuels ou désuets, comme ceux qu'on trouve dans les abécédaires illustrés destinés aux jeunes enfants. Quel rapport peut-il exister entre ces gribouillis enfantins et le cadavre d'un vieil homme abandonné dans des buissons d'épineux ?

— Où as-tu trouvé ça ?

Thomas avale sa salive, comme s'il avait une boule dans la gorge.

— Tout près du terrain vague où vous avez découvert l'homme mort, fait-il avec lenteur, comme s'il avait du mal à articuler.

— Tu l'as ramassé dans l'herbe ?

— Non, il était caché dans une fente du bloc de béton sur lequel j'étais assis. Tu te souviens, Patricia m'avait demandé de m'installer là pour monter la garde pendant que vous alliez voir du côté où les corbeaux tournoyaient en poussant leurs cris. J'ai fait comme elle a dit. Mais c'était ennuyeux, il ne se passait rien. De temps en temps, je relevais le nez pour regarder vers le canal, voir si quelqu'un arrivait, mais il n'y avait pas un chat.

— Tu es *vraiment* certain de n'avoir vu personne ?

— Sûr et certain.

— Donc personne n'a pu te voir ramasser ce carnet ?

— Je ne l'ai pas «ramassé», je t'ai dit. Il avait été caché là. C'est pour ça que je l'ai pris.

— Comment peux-tu savoir qu'il avait été caché ?

— Parce qu'il n'avait pas pu tomber par hasard là où je l'ai trouvé, réplique Thomas d'un air important. Il était enfoncé dans une fissure du bloc de béton, je te l'ai dit.

Thomas fait une petite pause, comme pour savourer son effet, puis il reprend :

— Comme je m'ennuyais, j'ai commencé à fureter autour de moi. C'est en revenant m'asseoir que je l'ai vu. Il dépassait à peine d'une fente assez profonde dans le béton, au pied du bloc, à quelques centimètres au-dessus du sol. Il n'avait pas pu tomber là tout seul. D'ailleurs, j'ai dû tirer assez fort pour le dégager.

Je ne trouve rien à répliquer. Je suis perplexe. Si Thomas ne ment pas – et je ne crois pas qu'il mente, là où nous en sommes rendus –, le carnet qu'il a déniché doit avoir une importance suffisante pour que quel-qu'un ait jugé bon de le dissimuler dans un endroit pareil. Endroit qui n'a pas dû être choisi au hasard, si je poursuis mon raison-nement.

Or, qu'est-ce que ce bloc de béton peut bien présenter de particulier sinon qu'il se trouve tout près du lieu où un homme est mort? Je me rappelle les traces que nous avons remarquées dans l'herbe, lorsque nous avons franchi la clôture: l'homme est sans doute mort tout près, puisque ces traces semblent indiquer que c'est depuis cet endroit que le corps a été transporté jusqu'aux buis-sons où nous l'avons découvert.

Le carnet aurait donc pu être placé dans sa cachette par cet homme avant qu'il ne s'engage dans le terrain vague… où il a rencontré son assassin. Enfin, le personnage qui lui a fait assez peur pour qu'il meure d'un arrêt cardiaque. Mais le problème reste entier : que peuvent bien signifier ces dessins enfantins ?

De nouveau, je feuillette ces pages, qui ne me rappellent rien d'autre que ces albums remplis de jeux et de casse-tête dont je me gavais alors que j'avais sept ou huit ans. Je me demande si nous ne sommes pas en train de nous fourvoyer complètement.

À cet âge-là, combien de fois n'ai-je pas griffonné moi-même des carnets de ce genre, les couvrant de chiffres et d'images que j'arrangeais en messages énigmatiques destinés à mettre les éventuels découvreurs sur la piste d'un trésor... tout à fait imaginaire !

Rêvant aux histoires de pirates et de butins fabuleux enfouis dans des îles inaccessibles ou sous les fondations de quelque manoir ancestral construit par des conquérants disparus, j'inventais de ces trésors mystérieux, puis je dessinais des plans abracadabrants et incompréhensibles qui devaient y mener le chanceux capable de découvrir le carnet.

J'avais caché une fois un de ces calepins sous la structure métallique du pont de la rue Charlevoix, coincé entre les poutrelles métalliques. Une semaine plus tard, j'y étais retourné et le carnet avait disparu. Avait-il été trouvé par quelqu'un, ou le vent l'avait-il fait tomber avant de le jeter dans le canal, je ne l'ai jamais su.

Je penche aujourd'hui pour la deuxième hypothèse. Parce que je n'ai plus sept ans et que je ne crois plus à ces sornettes. Mais Thomas ?

N'essaie-t-il pas de se rendre intéressant avec ce carnet qu'un quelconque gamin aura placé là dans la même intention que moi-même jadis ? Ou, pire encore, n'est-il pas lui-même l'auteur de ces innocents dessins ? N'est-il pas en train de me mener en bateau ?

Tout en feignant d'examiner les dessins, je le regarde à la dérobée.

Il n'a pas l'air de se livrer à un jeu. Son anxiété, au contraire, me paraît bien réelle. Admettons. Mais, dans ce cas, le mystère reste entier. Quel rapport peut-il bien exister non seulement entre le cadavre et le carnet, mais entre celui-ci et l'individu qui a agressé Thomas dans la rue Mullins ?

Car là, il ne me semble plus possible de parler de coïncidence. Le fou qui a tordu le bras de Thomas sur le chemin de l'école n'est pas sorti d'un rêve d'enfant, lui. Et la femme qui semble s'occuper de lui non plus. Il s'agit d'événements réels, mettant en scène des personnes que Thomas a vues en chair et en os.

Du coup, les choses deviennent peut-être un peu plus simples. L'idée qu'il puisse exister un lien entre le carnet et le cadavre ne tient pas debout. En revanche, si le personnage qui se prétend le propriétaire du carnet est un faible d'esprit à qui il suffira de rendre son joujou pour le calmer, la solution sera vite trouvée.

Le problème, c'est que la description donnée de l'un ou de l'autre par mon frère est bien floue. Ses hésitations au cours de son récit sont compréhensibles : il n'est qu'un enfant et, sous le coup de l'émotion ou de la peur, il a pu avoir une vision déformée des événements. Mais le résultat est là : comment les identifier ?

Je demande à Thomas :

— Après que cette femme – qui est sans doute une travailleuse sociale, comme tu l'as deviné – t'a dit de lui rendre le carnet, elle t'a donné rendez-vous ? Quand est-ce que tu dois le lui remettre ? Tu lui as donné ton adresse ?

Tout en posant cette dernière question, je me rends compte que nous connaissons déjà la réponse. Le jeune homme que j'ai vu dans notre rue hier sait parfaitement où nous habitons. La réponse de Thomas ne m'étonne pas moins.

— Elle ne m'a pas parlé de carnet, dit-il d'un ton ferme. Elle m'a dit que si jamais j'avais trouvé quelque chose qui ne m'appartenait pas, je devais l'apporter demain et qu'elle me rencontrerait au même endroit, dans la rue.

— Comment ça, quelque chose ? Si ce bonhomme a perdu quelque chose, il doit bien savoir de quoi il s'agit ?

— C'est ce que j'ai dit à la dame, affirme Thomas. «Quelle chose ? » je lui ai demandé. Mais elle ne m'a rien répondu.

C'est vraiment curieux, en effet. D'ailleurs, il me vient à l'esprit qu'il est encore plus étrange que l'homme aux dessins n'ait pas réclamé son carnet à Thomas dès qu'il l'a vu le prendre sous le bloc de béton. Pourquoi avoir attendu deux jours avant de se manifester ? Et pourquoi ne pas être tout simplement venu à la maison pour réclamer son dû ?

Non, les choses ne sont pas aussi simples que je le pensais.

— Tu crois que je dois le faire ? demande alors Thomas. Je veux dire, lui donner le carnet ?

— Attends un peu. Il y a quelque chose qui ne marche pas dans cette histoire. On te demande de rendre un objet que tu aurais trouvé, mais on ne sait pas de quoi il s'agit. Ensuite, si ce type t'avait vu prendre le carnet là où tu l'as trouvé, il aurait essayé de le récupérer tout de suite. D'ailleurs, tu m'as dit et répété que personne ne t'avait vu le jour où tu assurais le guet pour nous.

— C'est vrai. J'ai joué mon rôle avec sérieux, je suis certain qu'il n'y avait personne dans les environs. C'est peut-être plus tard qu'il m'a repéré. Près de la passerelle, par exemple.

— Ça ne change rien. Comment aurait-il su alors que tu avais pris le carnet? Et s'il l'avait supposé, je ne sais pour quelle raison, là encore il te l'aurait demandé sur-le-champ. Il n'est pas timide, il me semble. La manière dont il t'a traité tout à l'heure le montre bien.

Thomas hausse les épaules.

— Qu'est-ce que je dois faire, alors?

— Je ne sais pas, dis-je après avoir hésité un instant. Rien pour l'instant. Il faudrait en discuter.

— Avec les parents? demande Thomas, non sans une certaine inquiétude.

— Ce n'est peut-être pas une bonne idée dans l'immédiat. Il faudrait d'abord comprendre pourquoi le type au carnet s'en est pris à toi dans la mesure où il ne t'a pas vu le prendre. Et pourquoi cette femme qui prétend s'occuper de lui ne sait même pas que l'objet capable de le «calmer» est un simple cahier rempli de dessins débiles.

Mon frère baisse la tête. J'ai l'impression que mon cerveau se débloque, que des souvenirs précis me reviennent et jettent une lumière nouvelle sur les événements récents.

Le téléphone et ces appels mystérieux qui ont commencé hier. Ce téléphone dont j'ai retrouvé le combiné sur la petite table du salon la veille, maculé de Nutella...

Lorsque j'ai retrouvé Thomas dans sa chambre ce soir-là, à mon retour du terrain vague, non seulement celui-ci tentait-il de dissimuler le fameux carnet à ma vue, mais il venait manifestement d'utiliser le téléphone. Et un appel téléphonique, ça laisse des traces. Ça donne des noms. Et les noms donnent des adresses...

Qui a-t-il appelé? Je prends l'air le plus menaçant possible.

— Dis donc, Thomas. Tu es bien sûr de m'avoir tout raconté, dans cette affaire?

Thomas se mord les lèvres.

Il est évident que la réponse est non.

9

FILATURE

— C'est lui, là-bas!

Patricia s'immobilise immédiatement et se colle contre le mur. Je l'imite sans réfléchir. En même temps, je me rends compte à quel point c'est ridicule: nous agissons comme des acteurs de série télévisée...

Je reconnais bien l'homme qui surveillait ma porte l'autre jour, mais son visage est tourné vers le bas de la rue et il n'a pas pu nous voir. D'où il se trouve, en revanche, il doit apercevoir l'entrée de l'école de Thomas, dont il guette manifestement la sortie.

Je me demande dans quoi nous nous sommes embarqués...

Hier soir, Thomas a fini par m'avouer qu'une des premières choses qu'il avait faites après avoir examiné le carnet qu'il venait de trouver, ç'avait été de composer la suite de chiffres inscrite sous la première rangée de dessins, en ajoutant le 514, «comme ça, pour voir», sur les touches du téléphone. Après avoir pris une tartine de Nutella et laissé sur le combiné les traces de doigts qui l'avaient trahi.

Le correspondant a décroché immédiatement, d'après Thomas, mais il n'a pas dit un mot, puis il a raccroché au bout de quelques instants. Lorsque j'ai raconté ça à Patricia, quelques minutes après cette confession de mon frère, elle m'a dit que c'était sans doute ainsi que celui que nous nommons déjà «l'homme au carnet» avait appris notre nom: celui-ci avait dû s'afficher sur son appareil. Quant à notre adresse, il suffisait de feuilleter l'annuaire pour la trouver.

Pour elle, l'affaire était simple. L'homme au carnet n'avait pas vu Thomas récupérer son objet fétiche, mais l'appel de celui-ci l'avait dénoncé.

— Ce n'est pas un simple d'esprit, comme tu parais le croire, a ajouté Patricia. C'est probablement un schizophrène, un homme normal, la plupart du temps, mais qui est affligé d'une manie ou d'une obsession qui peut le rendre littéralement fou lorsqu'on le contrarie. Fou et potentiellement dangereux.

— Tu as l'air de t'y connaître, ai-je commenté.

— Je ne lis pas que des romans, moi, a-t-elle rétorqué d'un ton moqueur.

Finalement, Patricia a suggéré que la meilleure chose à faire, pour Thomas, était d'apporter le carnet à l'école le lendemain et de le donner à cette dame qui s'occupait de notre mystérieux bonhomme. Ainsi, l'affaire serait close et tous les amalgames malencontreux auxquels nous nous sommes laissés aller ces derniers jours seraient du passé.

J'ai retransmis le message à Thomas, qui voue une telle admiration à Patricia qu'il a acquiescé sans discuter.

Le reste de la soirée s'est déroulé sans incident notable. Aucun appel anonyme ne nous a dérangés et j'ai passé un long moment dans ma chambre, sur Internet, à tenter d'en apprendre plus sur la schizophrénie. J'avoue n'avoir pas compris grand-chose.

Ce matin, rien à signaler non plus. Patricia m'a dit que l'enquête sur le mort du canal piétinait. Du moins n'a-t-elle rien pu apprendre.

Puis dans l'après-midi, on nous a avertis que le cours de notre dernière période de la journée sautait parce que notre enseignant avait dû s'absenter. Trop tard pour le remplacer. Patricia a sauté sur l'occasion.

— J'ai une idée! s'est-elle exclamée. Nous allons sortir plus d'une heure plus tôt, pourquoi ne pas nous rendre à l'école de ton frère? Il finit plus tôt que nous, il me semble, mais là, nous pourrons arriver juste à temps pour voir comment il se débrouille avec le carnet.

L'idée m'a paru excellente et nous l'avons mise à exécution. Nous pensions rejoindre Thomas dès sa sortie de l'école pour l'accompagner ensuite sur le chemin du retour.

Mais notre projet prévoyait simplement que la remise du carnet se ferait à la travailleuse sociale qui en avait fait la demande à Thomas. Je n'avais pas pensé à l'éventualité que l'homme au carnet soit de la partie! Heureusement qu'il ne nous a pas vus.

Patricia se penche pour vérifier si l'homme est toujours là.

— J'ai l'impression que nous avons eu raison de venir, murmure-t-elle. Qui sait si ce type ne s'est pas finalement mis en tête de malmener Thomas?

— Il me dépasse d'une bonne tête et je ne suis pas particulièrement athlétique, dis-je en faisant la grimace. Qu'est-ce qu'on peut entreprendre contre lui?

— D'abord nous sommes deux, réplique Patricia. Ensuite, nous ne sommes pas au Far West. Les rues ne sont pas désertes, il ne va pas se jeter sur nous comme un sauvage. Comme il ne me connaît pas, je vais pouvoir l'approcher sans attirer son attention. De ton côté, tu pourrais faire un détour et rejoindre l'école de Thomas par la rue Mullins. C'est le chemin qu'il prend d'habitude, non ?

— D'accord, dis-je. De toute façon, je ne crois pas que le type ou cette femme tentent leur approche avant que Thomas soit seul. Il quitte toujours l'école avec une de ses camarades de classe et sa mère, il ne les laisse qu'en arrivant sur Charlevoix.

— Très bien, ça nous donne donc du temps. Vas-y. Pour ma part, je vais examiner notre bonhomme d'un peu plus près.

Tandis que Patricia sort de sa cachette et se dirige vers le sud, je reviens en arrière et, tournant dans la rue Saint-Charles, je hâte le pas pour ne pas rater l'heure de la sortie.

En me retrouvant dans la rue Mullins, je comprends pourquoi Thomas, souvent – surtout quand la nuit tombe de bonne heure –, préfère allonger son chemin plutôt que de couper par ici.

La rue Mullins est très différente de la rue Charlevoix. Elle est bordée par quelques rangées de pavillons qui, très vite, cèdent leur place à des terrains déserts ou semi-industriels dont l'aspect doit être sinistre dans l'ombre. Je me demande même si, aujourd'hui, il ne va pas choisir un autre itinéraire. Raison de plus pour accélérer.

Lorsque je débouche enfin dans la petite rue où se trouve l'école primaire, je ralentis le pas. Les enfants viennent de commencer à sortir et, entre les parents qui les attendent sur le trottoir et le ballet des voitures qui se garent n'importe comment, il est facile de passer inaperçu.

Plus loin, cependant, j'aperçois l'homme au carnet. Il est toujours adossé à un mur, l'air de rien. Il vient d'allumer une cigarette. De l'autre côté de la rue, légèrement en retrait, Patricia le surveille du coin de l'œil, feignant de s'intéresser au contenu de la vitrine d'un magasin d'outillage.

Parmi les femmes présentes sur le trottoir, rien ne me permet de savoir laquelle est celle qui nous intéresse – à l'exception de la mère de la petite Véronique, que j'ai déjà vue avec mon frère. Il faut attendre.

Ce n'est pas long. Quelques minutes plus tard, Thomas apparaît, Véronique marchant à côté de lui. Tout en essayant de rester le plus discret possible, je garde un œil sur ce qui se passe au bout de la rue.

La mère de Véronique adresse un petit signe de la main à sa fille, qui se dirige vers elle, accompagnée par Thomas. Puis les trois se mettent en route et s'éloignent de l'école. L'homme, là-bas, ne bouge pas. Patricia a l'air d'hésiter. Puis, alors que la mère et les deux enfants traversent la rue, une jeune femme blonde se détache du groupe de parents réunis devant l'école et traverse à son tour.

Je me rends compte que Thomas n'a pas fait la moindre description de cette femme. Pourtant, ce ne peut être qu'elle. Aucun enfant ne vient vers elle. Prenant un air détaché, elle suit le trio de loin, ce qui ne doit pas être facile car la petite Véro pense davantage à bavarder avec sa mère qu'à se dépêcher de rentrer chez elle.

À ce moment, Patricia m'aperçoit et me fait un signe que je ne comprends pas. Il ne s'agit pas de la rejoindre, bien sûr, Thomas et les autres me verraient alors et adieu discrétion. Je me questionne un instant sur la marche à suivre, puis je décide de repartir en arrière et de revenir me poster dans la rue Mullins, non loin de Charlevoix.

Avant de me retourner, j'ai juste le temps d'apercevoir du coin de l'œil l'homme au carnet qui se met en marche à son tour. Il ne semble pas avoir vu Patricia, qui lui emboîte le pas.

Moins de cinq minutes plus tard, je me retrouve rue Mullins. Je me dissimule derrière la haie qui sépare deux rangées de maisons de ville, d'où j'ai une bonne vue sur l'ensemble de la rue jusqu'à Charlevoix.

Au bout de quelques instants, je vois Thomas tourner dans la rue où je me suis embusqué. Il a donc décidé de prendre le même chemin qu'hier. Je ne peux pas distinguer son visage, mais son pas me paraît hésitant. Il a à peine fait une cinquantaine de pas qu'une autre silhouette apparaît à l'angle. Celle de la jeune femme blonde.

Celle-ci rattrape facilement mon frère, qu'elle appelle doucement alors qu'elle ne se trouve plus qu'à quelques pas de lui. Thomas s'arrête. Il m'est impossible de les entendre depuis ma cachette, mais leur échange ne me paraît pas agressif.

La blonde adopte une attitude amicale, et Thomas ne montre pas de signe de peur. Je choisis donc de ne pas intervenir. Enfin, mon frère sort de sa poche le petit cahier, qu'il tend à la femme. Celle-ci, à mon grand étonnement, paraît stupéfaite.

Je la vois examiner le carnet, l'ouvrir, le retourner dans tous les sens, faire mine de le rendre à Thomas. Elle est à deux doigts de s'énerver, dirait-on. Thomas également. Le ton doit monter car j'entends maintenant leurs voix, même si je ne distingue pas les mots.

Je dois rejoindre mon frère avant que ça tourne mal. Je quitte la haie et me dirige vers lui d'un pas rapide. Lorsqu'il m'aperçoit, il me fait un signe de la main et se met en marche.

La femme a l'air surprise de me voir. Elle hésite un instant, puis elle glisse le carnet dans sa poche et elle s'éloigne à pas vifs. Tandis que Thomas arrive à ma hauteur, je la vois disparaître dans la rue Charlevoix. Mon frère n'a pas l'air très rassuré.

— Qu'est-ce qui s'est passé? Qu'est-ce qu'elle t'a dit?

— Elle était toute gentille au début, répond-il. Elle m'a dit que j'étais mignon, tout ça, mais elle a eu l'air fâchée quand je lui ai donné le carnet. Elle m'a dit que je me moquais d'elle.

Bizarre, comme réaction: elle attendait donc un objet précis et elle a été déçue. Ou bien elle a cru qu'on tentait de la tromper.

— Dis donc, Thomas, c'est bien le bon carnet que tu lui as donné?

— Mais oui, enfin, qu'est-ce que tu crois? Je ne voulais pas risquer de me faire traiter de voleur encore une fois.

Alors pourquoi cette réaction? Cette femme est-elle vraiment qui elle prétend être?

Décidément, rien dans cette affaire ne tourne comme nous l'avions pensé et rien ne doit être aussi simple que nous le supposions.

Ce qui m'étonne, aussi, c'est de ne pas voir apparaître Patricia. Lui est-il arrivé quelque chose? J'ai besoin de savoir.

Laissant mon petit frère seul au milieu du trottoir désert, au mépris de toute prudence, je me précipite vers la rue Charlevoix.

10

LE MYSTÈRE S'ÉPAISSIT

Moins d'une heure plus tard, nous sommes réunis comme des conspirateurs dans la chambre de mon frère. Patricia, Thomas et moi.

Thomas, nous l'avons retrouvé à la maison, où il était allé directement après que je l'ai quitté rue Mullins. Il s'est fait ouvrir par Suzelle. Il était blême et il n'a pas dit un mot. Quant à Patricia, j'ai dû la chercher un bon moment, patrouillant dans les rues du quartier comme un fou, avant de la croiser rue d'Argenson. Elle revenait de la passerelle du marché Atwater.

— Bon sang ! me suis-je écrié. Où étais-tu passée ?

— Calme-toi, m'a-t-elle répondu, il ne m'est rien arrivé. En revanche, j'ai suivi les deux loustics, et je crois que j'ai bien fait.

Elle avait beau jeu de me dire ça. Malgré l'air enjoué qu'elle tentait d'afficher, je voyais bien qu'elle était inquiète.

— Ils t'ont vue ? ai-je demandé.

— Mais non, je ne suis pas stupide.

Patricia m'a alors raconté ce qui s'était passé après le départ précipité de la femme blonde.

Débouchant dans la rue Charlevoix, celle-ci a failli rentrer dans l'homme au carnet, qui s'apprêtait à tourner dans la rue Mullins. Patricia le suivait à distance, les yeux au sol plutôt que fixés sur lui, vieux truc de détective que son père lui a expliqué un jour.

L'homme et la femme ont commencé à discuter d'une façon assez fiévreuse. La blonde a sorti le calepin de sa poche et le lui a montré. Il a semblé très étonné et s'est mis à le feuilleter mais, très rapidement, il s'est fâché et a commencé à crier. L'autre lui a répondu sur le même ton et la dispute s'est envenimée.

De dépit, l'homme a jeté l'objet sur le trottoir, puis il s'est ravisé et il l'a ramassé, tout en scrutant la rue d'un air méfiant. La discussion a repris sur un mode plus calme, sans doute parce que ni l'un ni l'autre ne voulaient laisser sa fureur exploser dans un lieu public et attirer l'attention des passants.

— À ce moment-là, a précisé Patricia, quand l'homme a regardé tout autour de lui, j'ai cru qu'il allait me repérer. Je me suis tournée en vitesse vers une vitrine, essayant de ne pas laisser paraître mon trouble. Mais il n'a pas insisté et, écartant la femme d'un geste brutal, il a voulu s'engager dans la rue Mullins.

— Il voulait sans doute nous rattraper.

— Exact. Mais sa complice l'a saisi par le bras et lui a dit quelque chose qui a dû le convaincre d'y renoncer, car ils sont repartis en direction du canal d'un pas assez rapide.

— Pourquoi dis-tu « sa complice » ?

— Parce qu'il n'est plus question à présent d'un malade surveillé par une travailleuse sociale, a affirmé Patricia d'un ton sans réplique. Ces deux individus recherchent un objet qui doit avoir une importance capitale pour eux. Et ils agissent en collaboration, chacun tendant vers le même but, même si nous ignorons quel est ce but. Par ailleurs, ils ne savent manifestement pas quel est cet objet – ce que je trouve d'ailleurs bien étrange – mais il est clair qu'ils ne lâcheront pas prise.

— Ils ne nous ont pourtant pas suivis.

— Non, sans doute parce que tu étais avec Thomas et qu'ils ont jugé moins facile de s'en prendre à vous deux que d'intimider un enfant seul. Mais ce n'est que partie remise, à mon avis. Et il y a pire…

Je crois qu'à ce moment, j'ai deviné ce qu'elle allait me révéler…

— Je les ai repris en filature, de loin, jusqu'au canal, a-t-elle ajouté. Ils l'ont traversé et ils ont pris à droite. Là, ça devenait délicat de demeurer discrète car il n'y a presque personne dans cette zone à cette heure de l'après-midi. Je me serais fait repérer si j'avais continué. J'ai donc laissé l'écart se creuser entre nous, au risque de les perdre, mais je suis certaine d'une chose : ils ne sont pas allés faire une promenade d'amoureux. Ils se sont dirigés vers le terrain vague que tu connais bien et, de loin, je les ai vus franchir la clôture et disparaître en direction des buissons.

— Je me doutais de ce que tu allais dire. L'affaire du carnet est donc bien liée à celle de l'homme dont nous avons découvert le cadavre, comme je l'ai pensé au début ?

— C'est en plein ça. Malheureusement, ce maudit calepin, nous ne l'avons plus. Nous avons perdu toute chance de résoudre cette énigme. J'ai vraiment agi comme une idiote en conseillant à Thomas de le rendre à la blonde.

C'est alors que je me suis rendu compte que j'avais abandonné mon frère un peu rapidement. J'ai proposé à Patricia de m'accompagner à la maison pour le retrouver.

— Je ne pense pas qu'il lui soit arrivé quoi que ce soit puisque nos deux individus n'ont pas cherché à le rattraper, a-t-elle commenté en voyant mon air préoccupé.

En effet, quelques instants plus tard, nous le découvrons dans sa chambre, adossé à son lit, dans sa position favorite. Il tient un carnet à la main. Du même format et de la même couleur que celui qui nous a donné tant de soucis…

— Qu'est-ce que…? fais-je en le montrant du doigt.

Thomas esquisse un sourire et me tend l'objet. Je m'en empare d'un geste vif et l'examine aussitôt. Patricia s'approche et regarde par-dessus mon épaule.

Non, il ne s'agit pas du même. Ce carnet-ci ressemble beaucoup à l'autre, c'est vrai, mais il est moins abîmé et il sent encore le neuf. En revanche, en le feuilletant, je me rends compte que les dessins qui figurent dans les premières pages sont quasiment identiques à ceux du carnet du mort. Pour autant que je m'en souvienne…

Je lève les yeux vers Thomas. Celui-ci, sans se départir de son sourire, déclare avec fierté :

— J'ai recopié.

J'échange un coup d'œil avec Patricia. Décidément, mon frère m'épate, depuis quelques jours.

— Excellent, Tom-Tom, murmure Patricia avec admiration.

Les yeux de Thomas se mettent à briller. Du coup, je reporte mon attention sur les étranges dessins. Le trait des copies me semble aussi net que celui des originaux. Je ne ferais pas la différence.

On reconnaît très clairement ce qui est représenté : un visage triste, un calendrier, un dé à jouer, un étang ou un lac, une rangée de buissons. Vient ensuite un espace vide. Puis une tête de chèvre, une bouteille, une antilope, des chiffres, une cerise, encore des chiffres. Enfin, un ange, un ballon de rugby, une montre et une ultime suite de chiffres…

Quel peut être le sens de tout cela ? S'agit-il d'une mauvaise blague ? Il paraît pourtant clair que c'est autour de ces dessins que tourne l'énigme du cadavre du canal. Mais quel rapport établir entre la mort d'un vieil homme et ces gribouillis enfantins ?

— Je n'y comprends rien, dis-je en tendant le carnet à Patricia, qui est tout aussi interloquée que moi.

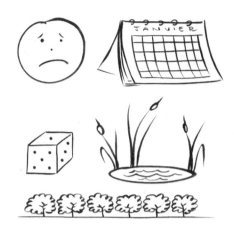

SS94

13 0497

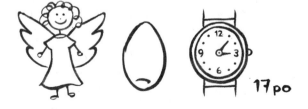

17 po

— C'est curieux, en effet, murmure-t-elle en se grattant le menton. Ces dessins ne signifient rien pour nous, mais il est clair qu'ils ne signifient rien non plus pour les deux personnes qui ont déployé autant d'efforts pour récupérer ce carnet. Et pourtant, il doit bien exister un lien entre les deux. Sinon, pourquoi auraient-elles pris autant de risques en harcelant un écolier dans la rue, au vu et au su de tout le monde ?

— Le téléphone, déclare alors Thomas. Je ne l'ai pas recopié, je le connais par cœur.

Nous le dévisageons un instant comme si c'était un chat qui venait de prendre la parole, puis Patricia s'exclame :

— Bien sûr ! Comment n'y avons-nous pas pensé ? Quel génie, ce Tom-Tom !

Thomas devient écarlate. Génie, c'est peut-être un peu poussé, mais c'est vrai que nous aurions dû y penser depuis le début. Thomas m'a avoué lui-même que, dès le soir de sa trouvaille, il avait composé une des suites de chiffres trouvées dans le carnet... et qu'il était tombé sur cet homme qui, depuis, ne cessait de le poursuivre.

Le lien entre le carnet et lui, pour mystérieux qu'il soit, existe donc bien.

— J'y suis ! s'écrie Patricia. Chiffres et dessins forment un message crypté que le mort, monsieur Workman, a laissé avant de mourir pour dénoncer son assassin. Nous ne pouvons plus garder ce secret pour nous. Je vais tout raconter à mon père puisque c'est lui qui est chargé de l'affaire. En tout cas, nous pourrons dire merci à Tom-Tom.

Thomas se tortille sur son lit. Il doit déjà s'imaginer recevant une médaille pour avoir contribué à la conclusion de l'enquête, donnant des entrevues aux journalistes, devenant l'objet de l'admiration de l'ensemble des élèves de son école...

Il y a pourtant quelque chose qui cloche dans l'affirmation de Patricia. D'abord, monsieur Workman n'a pas été assassiné à proprement parler puisqu'il est mort d'une crise cardiaque. Ensuite, comment aurait-il pu dénoncer son agresseur... après avoir été tué ? Il a fallu du temps pour réaliser cette série de dessins. Une crise cardiaque, il me semble, laisse peu de temps pour la création artistique.

De plus, le carnet était dissimulé dans l'anfractuosité du bloc de béton sur lequel s'était assis Thomas. Or Workman est mort de l'autre côté de la clôture. Pour passer, il faut effectuer un mouvement plutôt acrobatique au-dessus du canal en se tenant des deux mains. Comment l'éventuel assassin s'y serait-il pris pour transporter le cadavre de l'autre côté? En l'attachant sur son dos? N'aurait-il pas été plus simple de le jeter à l'eau?

L'enthousiasme de Patricia retombe face à mes arguments.

— Tu as raison sur ce point, Julien, concède-t-elle. Admettons que les dessins aient été faits par la victime avant son arrivée près du terrain vague. C'est là que monsieur Workman a rendez-vous avec celui que nous avons appelé – à tort peut-être – l'homme au carnet. Avant la confrontation, Workman, qui craint peut-être que les choses ne se passent pas comme prévu, dissimule son carnet dans la cachette où Thomas l'a découvert. Puis il franchit la clôture. Là…

— Là? fais-je alors que Patricia ne semble pas savoir comment continuer.

— Eh bien, je ne sais pas, reprend-elle après une courte hésitation. L'homme et la femme qui recherchent le carnet…

Cette fois, c'est moi qui l'interromps:

— Ça ne tient pas! Ils ne pouvaient pas chercher le carnet, ils n'ont même pas compris de quoi il s'agissait quand Thomas le leur a remis.

Patricia se tait. De quelque manière qu'on prenne le problème, il y a toujours un détail qui ne concorde pas. Cette histoire ne tient pas debout. C'est Thomas qui reprend :

— En tout cas, ce qui est certain, c'est que le numéro de téléphone qui était noté sur la première page est bien celui de l'homme qui a pris le carnet. Et ce n'est pas lui qui l'y a inscrit puisqu'il n'en connaissait même pas l'existence.

— Raison de plus pour ne plus garder tout ça pour nous, tranche Patricia. Il faut montrer ce carnet à mon père et tout lui expliquer. C'est juste que… il faudra aussi lui expliquer comment nous l'avons trouvé et pourquoi nous avons tant tardé à le lui remettre. Ça va chauffer pour nos oreilles…

Thomas fait la grimace. Je ne suis pas très optimiste non plus quant à la manière dont nos parents prendront la chose.

Une fois encore, Thomas me surprend.

— Je crois que j'ai une meilleure idée, murmure-t-il.

11

CASSE-TÊTE

Nous voici donc repartis pour une nouvelle expédition. Avec, cette fois, Thomas qui prend les devants. Et il n'est pas peu fier! Elle est loin, l'époque du «pot de colle» dont je ne savais pas comment me débarrasser lorsque je sortais avec mes amis.

Mais il est clair qu'aujourd'hui, c'est lui qui a eu l'idée géniale qui nous permettrait de mettre les informations contenues dans le carnet entre les mains des enquêteurs de la police, et cela sans nous compromettre.

— Il suffit d'aller déposer ce carnet là où j'ai trouvé l'autre, et d'avertir ensuite la police au moyen d'un appel anonyme, a-t-il déclaré tout à l'heure, face à nos mines ahuries.

Patricia n'en revenait pas. Et moi, pas davantage. Ce gamin qui me tape sur les nerfs depuis qu'il sait marcher venait de nous tirer d'affaire là où nous ne savions plus par quel bout prendre le problème! Il a même ajouté, joignant le geste à la parole:

— Il faut bien l'essuyer pour ne pas laisser d'empreintes digitales.

Il l'a ensuite saisi avec un mouchoir en papier, avant de le glisser dans sa poche.

— Un instant! s'est alors écriée Patricia. Ce serait plus prudent quand même d'en garder une copie pour nous. On ne sait jamais…

Thomas a hoché la tête et il a ressorti l'objet de sa poche. Puis il est allé prendre un autre carnet dans le tiroir de son bureau. Il en a toute une collection! Ensuite, il s'est mis en devoir, sous nos yeux écarquillés, de reproduire une fois encore et en un rien de temps l'incompréhensible série de dessins, sans oublier le numéro de téléphone recopié minutieusement. C'est vrai qu'il a un sacré coup de crayon!

Quand tout a été terminé, il a passé le chiffon une dernière fois pour effacer toute trace de doigt, et nous sommes partis en direction du terrain vague.

Au fur et à mesure que nous approchons, cependant, une certaine inquiétude me reprend. Tout d'abord, j'imagine que le père de Patricia a laissé les lieux sous surveillance discrète. Ensuite, les deux voleurs (bon, ils ne nous ont rien volé, nous leur avons «remis» l'objet qu'ils réclamaient et le mot n'est pas vraiment approprié) sont peut-être encore là à fureter. Je n'ai pas très envie de tomber sur eux.

— Je ne crois pas qu'il y ait grand-chose à redouter, déclare Patricia après que j'ai exprimé mes craintes. D'un côté comme de l'autre. Nos deux harceleurs doivent se montrer très discrets s'ils veulent fouiner en toute tranquillité aux abords d'un lieu se trouvant sous le coup d'une enquête policière. Quant à y voir un policier, même en civil, quelle importance? Nous ne franchirons pas la clôture, nous serons donc toujours dans un lieu public. Il n'y a rien d'illégal là-dedans.

Bon, admettons. De toute façon, il n'est pas question de traîner dans les environs du terrain vague. Lorsque nous arrivons à proximité, nous ralentissons le pas et nous avançons le long du canal en essayant d'avoir l'air aussi innocent que possible.

Il y a bien quelques promeneurs – l'endroit, depuis «les événements», est devenu un lieu qui attire les curieux –, mais c'est tant mieux, dans le fond : ainsi, notre présence y est d'autant moins insolite.

Parvenus près de la clôture, nous feignons de nous intéresser aux eaux sales du canal. Patricia et moi nous postons debout, mains dans les poches, bien en évidence sur la bordure de pierre, tandis que Thomas se faufile rapidement vers le bloc de béton.

Il ne lui faut que quelques secondes pour placer le carnet dans l'anfractuosité d'où il a retiré l'original, puis il nous rejoint et nous repartons sans un mot, osant à peine nous retourner pour vérifier si quelqu'un n'est pas en train de nous épier depuis l'autre côté de la clôture.

Quelques instants plus tard, c'est avec soulagement que nous arrêtons près du marchand de crème glacée situé en face du marché. Nous avons bien mérité un cornet.

— Comment allons-nous faire, à présent, pour signaler à ton père la présence du carnet ? fais-je à l'intention de Patricia. Le coup de l'appel anonyme, ça me paraît douteux.

— Je m'en occupe, répond-elle. Je vais lui raconter que, en sortant de l'école plus tôt que prévu, je suis allée faire un tour du côté du terrain vague. Il sait à quel point je suis curieuse et ça ne l'étonnera même pas ! Je lui dirai que j'ai vu des gens bizarres rôder autour de la clôture.

— Mais si quelqu'un nous a vus et fait le rapprochement ?

— On ne soupçonnera pas des adolescents, et encore moins un enfant comme Thomas, réplique-t-elle. Notre âge nous innocente a priori. En revanche, nos deux voleurs de carnet, eux, ont peut-être été aperçus et, s'il y a lieu, c'est vers eux que les policiers orienteront les recherches. Je les connais bien.

— Et tu crois que ce sera suffisant pour que les enquêteurs découvrent le carnet ? C'est vague, justement, le « terrain vague ».

— Les policiers ne sont pas aussi bêtes qu'on le dit, rétorque Patricia d'un ton vif. Quand ils sentent qu'ils sont sur une piste, ils trouveraient un cheveu dans les toilettes d'un restaurant. Rentrons chez nous, chacun de notre côté. Je vous tiendrai au courant de la suite des événements.

Thomas et moi sommes arrivés à la maison en même temps que notre mère. Nous avons dit que nous avions profité du beau temps pour aller nous promener mais que, maintenant, nous avions des devoirs à faire. Elle a eu l'air ravie de me voir m'occuper si bien de mon petit frère…

Celui-ci m'a rejoint dans ma chambre après avoir récupéré la copie du carnet dans la sienne. L'affaire a beau être entre les mains de la police à présent, l'énigme des dessins d'enfant ne le laisse pas en paix. Thomas a l'air complètement fasciné.

Je reprends le carnet. L'ensemble des dessins représente certainement un message, ou un avertissement. L'ennui, c'est qu'il s'agit de copies de copies. Le « message » est-il encore lisible ? Et qui sommes-nous pour prétendre élucider ce mystère avant des enquêteurs professionnels ? Je me rends compte à quel point notre démarche est ridicule.

— On dirait un rébus, murmure Thomas, absorbé depuis un bon moment dans la contemplation des dessins aux contours naïfs.

Un rébus ? Oui, bien sûr. J'y avais pensé. Enfin, je crois… Je dois avouer que la façon dont Thomas trouve une réponse à tout depuis hier a quelque chose de vexant. D'ici à ce qu'il nous dévoile la solution avec un grand sourire…

Je me penche au-dessus de son épaule pour considérer une fois de plus ces images d'une apparente simplicité. Les cinq images qui précèdent le numéro de téléphone représentent peut-être le nom de son titulaire. Pas de chance, j'ai toujours détesté me prendre

la tête avec les rébus. Thomas est plus fort que moi à ce jeu-là.

— Serais-tu capable de le déchiffrer?

Mon frère me jette un regard presque apeuré. Que je m'intéresse enfin à lui, que je lui soumette un problème que, manifestement, je ne suis pas capable de résoudre moi-même, après les louanges dont il a été l'objet de la part de Patricia, ça doit lui sembler miraculeux.

Fronçant le sourcil, il se replonge dans l'examen des dessins. En ce qui concerne le visage aux lèvres arquées vers le bas, ça me semble simple. «Triste», prononcé-je à voix basse. Mais le calendrier? Le dessinateur a-t-il voulu parler d'une année triste?

— Tristan! s'exclame soudain Thomas. Tu parlais d'un nom. C'est le seul prénom qui commence par « triste ». Il y a un Tristan dans ma classe.

En effet. Calendrier = année = an. Bravo, Thomas. Notre homme s'appelle donc Tristan. Très bien. Et la suite ?

Malgré moi, je me prends au jeu. Un dé à jouer. Évident : « dé ». Une petite étendue d'eau, grossièrement dessinée, avec quelques roseaux. Un étang, un lac ?

— Il faut privilégier les mots courts, précise Thomas. Ceux d'une seule syllabe. Mais un lac, je ne crois pas. C'est trop petit, par rapport à la taille des roseaux. Une mare, plutôt.

Admettons. Nous voici donc avec les éléments « dé » et « mare ». Reste le petit rang de buissons.

— Classique, reprend Thomas. C'est une haie. Elle est facile, celle-là, on la trouve partout. Ça donne donc « dé », « mare » et « haie ».

C'est comme si une porte fermée venait de s'ouvrir d'un seul coup dans mon cerveau. Desmarais ! Un nom courant par chez nous. Tristan Desmarais. Ce serait donc le nom de notre homme ?

Je me précipite sur mon ordinateur et me connecte sur les pages blanches. Tristan Desmarais… Il y a plus de deux cents

Desmarais à Montréal, mais un seul s'appelle Tristan. Et son numéro de téléphone est bien celui que Thomas a composé avant-hier!

Nous le tenons, le harceleur!

Thomas est aussi excité que moi. Déjà il reprend le carnet pour essayer de déchiffrer la suite. Pour ma part, je me rue vers le salon pour communiquer la nouvelle à Patricia.

Celle-ci est seule chez elle et elle n'a pas encore vu son père. Elle n'a donc pas pu s'occuper de faire passer le «message» du carnet et elle regrette de ne pas être restée avec nous pour partager nos découvertes. En revanche, elle me suggère de rechercher sur Internet s'il existe un lien entre monsieur Workman et le nommé Tristan Desmarais. Si d'autres noms apparaissent, peut-être ces derniers correspondront-ils à d'autres lignes du rébus.

Aussitôt que j'ai raccroché, je retourne dans ma chambre, où Thomas a toujours le nez enfoui dans le carnet. Il est si concentré qu'il ne semble même pas noter mon arrivée.

Je m'installe de nouveau à mon ordinateur, tandis que mon frère poursuit ses recherches. Hélas, je ne trouve rien concernant d'éventuelles relations entre Workman et Tristan Desmarais. Ce Desmarais est d'ailleurs inexistant sur la Toile. Quant à

Workman, le nom est tellement commun qu'il renvoie à d'innombrables sites dont je ne peux rien tirer. Trop d'information, pas d'information…

Je me tourne enfin vers mon frère et lui demande :

— Et toi, as-tu trouvé quelque chose de nouveau ?

Thomas secoue la tête.

— Pas grand-chose. Il y a des figures animales : une tête de chèvre, une antilope bondissante. Et puis une bouteille – de lait, peut-être – et une cerise. J'essaie d'assembler tout ça, mais ça ne donne rien. J'ai utilisé des synonymes : chèvre, chevrette, bique, cabri ; et antilope, oryx, gazelle, ou encore bouteille, flacon, litre, mais sans succès non plus.

Il se tait un instant, puis reprend d'un ton plus ferme :

— Il y a quand même un détail étrange. Tous les dessins semblent avoir été réalisés dans le même style. Des représentations un peu naïves, comme dans de la bande dessinée. Sauf l'antilope.

Il me tend le carnet.

— Regarde : l'animal est très stylisé et entièrement noir, comme une silhouette. Il n'est pas du tout réaliste, alors que les autres sont dessinés avec des contours nets et que l'intérieur est blanc. De plus, j'ai l'impression que ce dessin ne m'est pas inconnu. Comme si je l'avais déjà vu quelque part.

Je reviens à l'image. Thomas a raison. Le tracé de l'antilope – si c'en est une – est totalement différent de celui des autres images. L'œil de l'artiste… Et, en effet, l'animal m'est vaguement familier.

Où l'ai-je déjà vu ?

12

UNE HISTOIRE DE VOITURE

Le lendemain matin, à l'école, Patricia m'annonce que son père a envoyé un agent inspecter de nouveau les abords de la clôture, et que notre carnet a été retrouvé. Patricia a tenté de savoir ce qu'il en pensait, mais, dit-elle, il s'est contenté de hausser les épaules.

— J'ai l'impression qu'il n'a pas pris la chose au sérieux, ajoute-t-elle d'un ton découragé. Peut-être croit-il qu'il s'agit d'une mauvaise farce.

— Dans une affaire criminelle, dis-je pour lui remonter le moral, en l'absence de tout autre indice, un bon policier ne néglige aucune piste.

— Oui, bien sûr, mais nous avons procédé un peu hâtivement. J'espère quand même que les soupçons ne vont pas retomber sur moi.

J'ai l'impression que nous nous sommes fourrés dans un sale pétrin avec cette histoire. Depuis le début, nous aurions dû raconter à nos parents respectifs tout ce que nous avons vu. Dès la première apparition de Desmarais et de sa complice, en particulier. Notre silence a été une erreur.

Mais comment rattraper cette bêtise à présent ? Ce qui nous aurait sans doute attiré de sévères remontrances sur le moment nous vaudrait bien pire maintenant. En nous taisant, nous nous sommes rendus complices !

La journée s'écoule, lente, morne. Sébastien nous évite depuis l'autre jour, comme s'il devinait que nous avons mis le pied dans quelque chose qui risque de nous éclabousser.

Je me fais également du souci pour Thomas. Tristan Desmarais et la blonde qui s'est fait passer pour une travailleuse sociale ne vont-ils pas reprendre leur harcèlement à son égard s'ils ne tirent rien de plus que nous du fameux carnet ? Ne l'avons-nous pas mis en danger avec nos prétentions à jouer les détectives ? Je ne suis pas fier de moi. J'ai honte et j'ai peur.

Patricia n'est guère plus à l'aise. Elle se sent d'autant plus responsable de ce qui pourrait arriver à mon frère qu'elle est persuadée que c'est elle qui a eu l'idée de tous nos projets depuis le début. L'angoisse monte ainsi tout au long de la journée et, lorsque retentit enfin la sonnerie de la fin du dernier cours, nous avons à peine besoin de nous consulter : sans traîner dans les couloirs, nous filons vers Verdun.

Sans un mot, nous avançons le plus vite possible. Nous savons très bien, pourtant, que Thomas est déjà sorti de l'école, mais nous l'imaginons tous les deux en train de se faire agresser dans la rue Mullins ou dans une autre de ces rues qui longent des terrains vagues.

Nous franchissons la passerelle qui enjambe le canal de Lachine et, au moment où je m'apprête à traverser la rue Saint-Patrick, sans même prendre le temps de regarder, une voiture freine brusquement dans un bruit d'enfer et fait une embardée pour m'éviter.

Patricia m'attrape par le bras et me tire en arrière. Le chauffeur, furieux, donne un grand coup de klaxon, mais il rétablit sa trajectoire puis, après s'être presque immobilisé, il repart en faisant crisser ses pneus sur l'asphalte.

Complètement abasourdi, je regarde la voiture – une Chevrolet – reprendre de la vitesse et s'éloigner.

— Tu as failli te faire écraser, commente Patricia en constatant que mon visage est blême.

Je l'entends à peine. Et je lui réponds encore moins. Les yeux toujours fixés sur la voiture, je contemple le logo de la marque fixé sur l'arrière du véhicule : l'antilope noire et bondissante, très stylisée, aux cornes presque aussi longues que le corps, qui caractérise la Chevrolet Impala. Cette même antilope qui figure dans la série de dessins du carnet de l'homme mort...

— Julien, tu rêves ou quoi ?

— Dépêchons-nous, fais-je en redescendant sur terre. Thomas doit déjà se trouver à la maison. Je dois te montrer quelque chose.

Je me mets presque à courir en direction de la rue d'Argenson, Patricia sur mes talons.

— Voudrais-tu m'expliquer ce qui se passe ? s'écrie-t-elle en essayant de me rattraper.

— Tu vas voir par toi-même, lui réponds-je. C'est l'affaire de cinq minutes.

Quelques instants plus tard, en effet, nous nous retrouvons une fois de plus tous les trois. Dans la chambre de Thomas, cette fois, pour sa plus grande fierté.

Nous avons récupéré mon frère en passant chez Suzelle, où il était en train de prendre un goûter, et je lui ai expliqué ce qui venait de se passer.

Sans lui laisser le temps de poser la moindre question, je demande à mon frère de me donner son carnet. Enfin, je leur montre le rébus, en pointant la fameuse antilope noire.

— L'impala, dis-je d'un ton vainqueur. Une antilope d'Afrique à longues cornes torsadées. Maintenant, regardez ça.

Je désigne cette fois la tête de chèvre et la bouteille.

— Il ne s'agit pas tout à fait d'une chèvre, mais d'un chevreau. Quant à la bouteille, sa forme est celle, traditionnelle, d'une bouteille de lait. Et voilà la solution : chevreau-lait-impala. Chevrolet Impala.

— Et la Chevrolet Impala qui a essayé de t'écraser, c'est celle de l'assassin ? s'exclame Thomas en ouvrant de grands yeux.

— Non, voyons. D'abord le conducteur n'a pas essayé de me tuer, au contraire. C'est moi qui ai voulu traverser la rue sans regarder et lui, il a fait l'impossible pour m'éviter. Mais au moins, nous avons déchiffré plus de la moitié de l'énigme.

— Je ne trouve pas que ça nous avance beaucoup, marmonne Thomas dont l'enthousiasme vient de retomber. Qu'est-ce que ça veut dire, ta trouvaille? Que Tristan Desmarais roule en Chevrolet? Ça nous fait une belle jambe.

Je ne sais que répondre. Il a raison, dans le fond. Mon excitation retombe comme un soufflé. Je me suis encore emballé pour des détails insignifiants. Patricia, pour sa part, paraît plongée dans un abîme de perplexité.

— Je me souviens d'une chose, murmure-t-elle après un long silence pendant lequel Thomas et moi ruminons notre déception. Le mort, monsieur Workman, était propriétaire d'un grand garage à Verdun. L'établissement a été géré par un associé tout le temps qu'a duré sa peine de prison. Quand son identité a été révélée par la presse, il me semble que les journalistes ont précisé qu'il s'agissait d'une concession General Motors. Donc, entre autres, de la marque Chevrolet.

— Je veux bien, dis-je en haussant les épaules, mais qu'est-ce que ça prouve?

— Je n'en sais rien, réplique vivement Patricia, un peu vexée par ma remarque. Mais si Workman a pris la peine de crypter cette information à propos de Tristan Desmarais, il avait certainement une bonne raison de le faire. À nous de la découvrir.

— C'est plutôt le rôle de la police, maintenant. Nous nous sommes assez mêlés de ce qui ne nous regardait pas, jusqu'ici. Qu'est-ce que tu suggères? De chercher les adresses de tous les garages General Motors de Verdun et de leur rendre visite?

— Exactement, répond Patricia du tac au tac.

J'en suis estomaqué. Ce n'est donc pas terminé? Dans quelle aventure Patricia veut-elle nous entraîner encore?

Une demi-heure plus tard, Patricia, mon frère et moi nous retrouvons au-delà de la rue Wellington, dans une zone assez déplaisante où se trouve le dépôt de voitures du garage Workman, dont nous avons facilement trouvé l'adresse sur Internet.

Le dépôt des véhicules d'occasion se trouve de l'autre côté de la rue, et légèrement en décalage par rapport à celui des voitures neuves et au garage lui-même.

Il a été impossible de convaincre Thomas de rester à la maison. Il nous a donc suivis, son carnet dans la poche, marchant droit, l'air sérieux. J'ai l'impression que, en trois jours, il est passé d'un seul coup de l'enfance à l'adolescence.

Et nous voici longeant le vaste stationnement rempli de Chevrolet, de Buick, de Cadillac, ainsi que de quelques vieilles Oldsmobile ou Pontiac. Des Impala, nous en apercevons plusieurs, mais je suis stupéfait de voir à quel point les modèles portant cet emblème diffèrent selon leur année de production.

— Il faudrait savoir ce que signifient les chiffres placés juste après le logo, suggère Patricia.

Thomas sort le carnet de sa poche et l'ouvre.

— 5594, suivi du dessin assez ressemblant d'une cerise, commente-t-il.

— La plaque d'immatriculation?

— Les voitures d'occasion n'en ont pas, tranche Patricia. Et puis, quel rapport avec une cerise?

Nous demeurons pensifs un instant, puis Thomas propose :

— La couleur ?

Patricia émet un petit sifflement admiratif.

— Brillant, dit-elle. Ça nous évitera d'avoir à nous approcher de trop près.

Nous balayons le terrain du regard. Des voitures cerise, il n'y en a pas des tonnes.

Effectivement, très vite nous remarquons une Impala cerise d'un modèle qui me paraît ancien. Elle se trouve au fond du stationnement et ne semble pas être en vente : la carrosserie est enfoncée à l'avant et l'herbe a poussé tout autour.

— Allons-y, déclare Patricia. C'est un lieu public, après tout. Si on nous pose des questions, nous dirons que nous aimons les vieilles autos et que nous avons un exposé à préparer pour l'école sur ce sujet.

En cette fin d'après-midi, cependant, les lieux sont déserts et personne ne vient nous demander ce que nous faisons là. Nous approchons du véhicule sans encombre. Il est vraiment en piteux état et ne porte effectivement aucune plaque d'immatriculation. Nous furetons tout autour, en quête du détail qui nous éclairera sur le sens des chiffres 5594.

Tout à coup, alors qu'elle se trouve de l'autre côté de la voiture, Patricia s'exclame :

— Dis donc, Thomas, fais-moi voir ton carnet.

Mon frère le lui tend, elle le lui arrache presque des mains. Elle le consulte, regarde de nouveau la carrosserie, puis elle éclate de rire.

— Ce n'est pas 5594, mais SS 94, finit-elle par articuler. Tu as recopié les S comme s'ils étaient des 5. Cette voiture est une Impala SS 94.

— Bon, oui, d'accord, bougonne Thomas. Et qu'est-ce que ça change ?

— Rien, si ce n'est que nous avons trouvé la Chevrolet du carnet. Nous y sommes presque. Il suffit maintenant de comprendre ce que signifie la dernière rangée de dessins.

Une fois de plus, nous portons nos regards sur le carnet. Un ange, un ballon

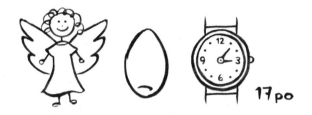

ovale, un cadran de montre. Et la formule
« 17po ».

— Ange, ange, murmure Patricia. Qu'est-
ce qui commence par « ange » ? Et ce ballon ?
Est-ce vraiment un ballon ? Ange-ballon,
ange-balle ? Et la montre ? L'heure, peut-être…

— Il y a comme un petit trou sous la base
du « ballon », fait remarquer Thomas. Ce
n'est pas un ballon. On dirait plutôt un fruit.
Une prune. Ou une olive.

— Une olive ? répète Patricia.

S'ensuit un bref silence pendant lequel
elle fronce les sourcils, en proie à une réflexion
intense, puis elle se redresse et s'écrie :

— Enjoliveurs ! Ange-olive-heure. Des
enjoliveurs de 17 pouces !

Aussitôt nous nous penchons vers les
roues. Curieux. Nous ne l'avions pas noté au
début, mais ces enjoliveurs sont presque
propres alors que la carrosserie est dans un
état de corrosion repoussant.

Je m'accroupis, examine de plus près celui de la roue avant gauche. On dirait qu'il a été déplacé ou forcé. J'introduis mes ongles, mais la pièce métallique résiste. Pourtant, je jurerais que l'enjoliveur a été retiré et replacé récemment.

— Essaie avec ça, dit Patricia en me tendant une tige métallique qu'elle vient de ramasser sous la voiture voisine.

Cette fois, l'enjoliveur cède et tombe sur le sol. Dans sa chute suit un long boudin de plastique transparent. Inutile de l'ouvrir, ce qui se trouve à l'intérieur est parfaitement visible. Des billets de banque. Les yeux nous sortent de la tête. Une énorme quantité de billets !

Et ce n'est pas tout, les trois autres roues, auxquelles je fais subir le même traitement, recèlent le même trésor. Nous nous regardons avec stupeur. Que faire d'une telle découverte ?

Je me demande à présent comment nous allons nous sortir de ce piège… que nous avons pourtant construit nous-mêmes !

Thomas reste muet. Je crois qu'il a peur. Patricia est sombre. Terriblement gênée. Nous sommes tombés sur quelque chose qui nous dépasse mais, en même temps, nous savons que nous ne pouvons pas en parler.

— Nous pourrions être considérés comme complices parce que nous avons dissimulé de l'information, a dit Patricia. Complices passifs, mais complices quand même.

Je partage son avis. Si j'évite de laisser transparaître mes craintes, c'est pour ne pas augmenter celles de mon frère. Et s'il allait tout balancer aux parents? Que risquons-nous exactement, d'ailleurs?

Cet argent que nous avons trouvé, il est clair pour nous que c'est ce que cherchent Tristan Desmarais et sa complice depuis le début. Et s'ils ne débrouillent pas l'énigme du carnet, je crains qu'ils ne reviennent s'en prendre à nous.

C'est sans espoir.

J'ai une seule idée en tête: filer d'ici au plus vite! Patricia et Thomas sont du même avis.

Nous nous ruons vers la sortie. Mais la surprise qui nous y attend n'est pas du tout celle que nous aurions pu imaginer…

13

LE MORT AUX DESSINS D'ENFANT

— Dis donc, Patricia. Est-ce que tu pourrais m'expliquer ce que vous fabriquez ici, toi et tes amis ?

L'inspecteur Lévesque se tient devant nous, flanqué de deux agents en civil. La voiture de police est garée devant l'entrée du parc aux voitures. Le père de Patricia nous dévisage d'un œil réprobateur. Soupçonneux ? Pas vraiment, non, mais il n'a pas l'air d'être de bonne humeur.

— Nous en reparlerons ce soir à la maison, ajoute-t-il après avoir regardé Thomas dans les yeux pendant quelques secondes.

J'ai cru que mon frère allait s'évanouir.

Tandis que les deux policiers subalternes s'éloignent vers le fond du dépôt, l'inspecteur Lévesque laisse échapper un long soupir, puis il secoue la tête avant de les rejoindre.

Nous ne demandons pas notre reste. Sans nous retourner, nous nous hâtons vers la rue Wellington.

Ce n'est que le lendemain que nous avons droit à une explication sur ce qui s'est passé. Si nous avions pensé être les seuls à découvrir le sens du rébus, c'était sans compter sur la sagacité des inspecteurs de police.

Au début, en effet, après leur découverte du carnet, l'inspecteur Lévesque avait pensé que l'objet n'avait rien à voir avec l'affaire du cadavre du canal. Toutefois, ne disposant d'aucun autre indice, il s'était acharné à découvrir le sens des dessins.

Il avait eu moins de mal que nous à déchiffrer l'énigme, étant donné qu'il en savait beaucoup plus long tant sur monsieur Workman que sur les circonstances qui l'avaient conduit en prison, une quinzaine d'années auparavant. L'enquête, qui plus est, avait vite révélé que Workman, la veille de sa mort, avait retiré en liquide de sa banque la somme de deux cent mille dollars, qui n'avait pas été retrouvée.

L'inspecteur Lévesque était persuadé que la disparition de l'argent et la mort du vieil homme étaient liées au drame qui avait mené ce dernier en prison. La voiture avec laquelle Workman avait provoqué l'accident était une

Chevrolet Impala SS 94 rouge. Cette même voiture dont nous avions déniché l'épave à Verdun. Avec ces données en tête, il n'avait pas été long à déchiffrer le rébus.

Quant au numéro de téléphone de Tristan Desmarais, il avait les moyens de découvrir rapidement qui en était le titulaire. Une brève enquête lui avait révélé que Tristan Desmarais était le frère de Sophie Desmarais… laquelle était la veuve de Luc Fournier, le jeune homme qui avait survécu à l'accident causé par Workman.

L'inspecteur leur avait tendu un piège simple et les Desmarais, pris de panique, n'avaient pas pu dissimuler très longtemps leur part de responsabilité dans la mort de Workman.

Luc Fournier étant mort, au début de l'année, dans le même genre d'accident qui lui avait déjà enlevé sa famille alors qu'il n'avait que sept ans, Sophie Desmarais avait sombré dans une profonde dépression. Le chauffard, cette fois, avait succombé lui aussi dans l'accident.

La vie de Luc, il faut le dire, n'avait jamais été rose avant sa rencontre avec Sophie. Neurasthénie, angoisses, terreurs nocturnes… Luc avait été un adolescent sombre et mal dans sa peau. L'irruption de Sophie dans sa vie avait été une bénédiction pour lui. Et sa mort avait été une atroce douleur pour la jeune femme. Son chagrin avait été aussi immense que le sentiment d'injustice qui avait suivi.

Lorsqu'elle avait appris que Workman devait sortir de prison, ayant purgé sa peine, sa prostration s'était muée en une haine féroce et, avec l'aide de son frère, elle avait résolu de faire payer Workman pour le mal dont il avait été responsable autrefois.

Frère et sœur avaient projeté de lui extorquer la plus grosse somme possible en jouant sur le sentiment de culpabilité que Workman avait éprouvé après l'accident et qui ne l'avait jamais quitté.

Le vieil homme, cardiaque, savait qu'il lui restait peu de temps à vivre et, de toute façon, la prison n'avait pas amélioré son état d'esprit. Ses garages, sous la conduite d'un gérant efficace, lui avaient permis d'accumuler une somme assez coquette. Sophie et son frère n'avaient donc pas eu trop de mal à lui faire mettre la main au portefeuille.

Mais les choses avaient mal tourné. Les Desmarais, poussés par une haine grandissante, s'étaient montrés de plus en plus gourmands et continuaient de harceler Workman, qui avait fini par leur promettre une très grosse somme à condition qu'ils le laissent tranquille ensuite.

Le rendez-vous avait été pris dans le terrain vague près du canal. Workman n'avait pas apporté l'argent, car il ne voulait le remettre que contre la garantie qu'on le laisserait en paix désormais. En revanche, il avait noté sur un carnet les éléments qui permettraient à la police de retrouver à la fois l'argent et ses persécuteurs si l'affaire tournait mal, puis il avait dissimulé l'objet là où Thomas avait mis la main dessus.

Ce que Workman avait craint s'était produit. Tristan Desmarais l'avait menacé un peu trop fort et le vieillard, déjà fragilisé, avait succombé à une crise cardiaque, non loin de la clôture.

Les Desmarais, affolés, avaient alors transporté le cadavre hors de vue et s'étaient sauvés après avoir vainement cherché l'argent.

Tout cela, les deux jeunes gens l'ont avoué assez rapidement aux policiers. Toutefois, ils se sont tus sur un détail : la tentative d'intimidation à l'égard de Thomas. Sans doute ont-ils pensé que cela ne ferait qu'aggraver leur cas.

Ce qui est sûr, c'est que l'inspecteur Lévesque ne nous a jamais interrogés là-dessus et qu'il n'a jamais reparlé de l'affaire à Patricia.

Quant à ce qu'il adviendra de Tristan et de Sophie Desmarais, je crois que je préfère ne pas le savoir. Je ne les aime pas, à cause de la manière dont ils se sont comportés avec Thomas, mais dans le fond, je ne peux pas les considérer comme de véritables assassins. Et puis, sans doute bénéficieront-ils de circonstances atténuantes.

La satisfaction qui nous reste, c'est d'avoir découvert la solution de l'énigme avant les policiers.

Thomas, en tout cas, a pris un sacré coup de vieux...

TABLE DES MATIÈRES

Les titres de la collection Atout

* Lecture facile   ** Lecture intermédiaire   *** Lecture difficile

Suivez-nous

GARANT DES FORÊTS
INTACTES

Achevé d'imprimer en avril 2012
sur les presses de l'imprimerie Lebonfon
Val-d'Or, Québec